新潮文庫

雪のひとひら

ポール・ギャリコ
矢川澄子訳

新潮社版

8592

雪のひとひら

装幀　大貫卓也
カバー写真　吉田六郎
挿画　深沢幸雄

雪のひとひらは、ある寒い冬の日、地上を何マイルも離れたはるかな空の高みで生まれました。
灰色の雲が、凍《い》てつくような風に追われて陸地の上を流れていました。その雲の只中《ただなか》で、このむすめのいのちは芽生えたのでした。
すべては立てつづけに起ったことでした。はじめはただ、もくもくとしたその雲が、山々の頂きをただようているばかりでした。それから雪がふりはじめました。そして、つい一秒まえまでは何物もなかったところを、いま、雪のひとひらとその大勢の兄弟姉妹たちが空からおちつつある、ということになったのです。

まあ、おちる、おちる、おちる！　ゆりかごにでものったように、やさしく風にゆられ、右へ左へ、ひらひらと羽のようにふきながされながら、雪のひとひらは、いつのまにか、いままでついぞ見も知らぬ世界にうかびでていました。

自分はいったいいつ生まれたのか、またどのようにして生ま

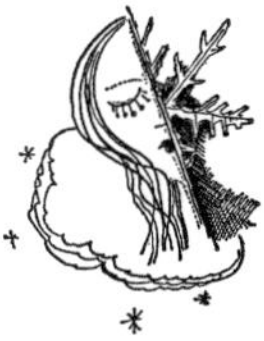

れたのか、雪のひとひらには見当もつきませんでした。あたかも、ふかい眠りからさめたときの感じにそっくりでした。ついいましがたまでどこにも存在しなかったこの身、それがいま、こうしてくるくる、するする、すいすい、ずんずん、ひたすら下へ下へとくだってゆくところなのです……

雪のひとひらは、ひとりごちました。「わたしって、いまはここにいる。けれどいったい、もとはどこにいたのだろう。そして、どんなすがたをしていたのだろう。どこからきて、どこへ行くつもりなのだろう。このわたしと、あたりいちめんのおびただしい兄弟姉妹たちをつくったのは、はたして何者だろう。そしてまた、なぜそんなことをしたのだろう？」

問いかけても、こたえはありませんでした。空では、風がふいても音はしませんし、空そのものが静かなところなのです。

地上でさえ、雪のふりはじめるときは、しんとしています。
あたりを見まわすと、目のとどくかぎりはいちめんに、幾百幾千ともしれぬ雪たちが、おなじようにして舞いおりてゆくところでした。この雪たちもやはり、だまったままでした。

おかしなこと、と雪のひとひらは思いました。どちらをむいても、わたしとおなじ、生まれたばかりの雪の兄弟姉妹がこんなに大勢いるのに、それでいてこんなにさびしくてたまらないなんて。
そう思ったとたんです。雪のひとひらは、何かこうなつかしくもやさしい思いやりのようなものが、身のまわりをすっぽりつつんでくれていることに気がついたのです。だれかがこちらのことを気づかっていてくれるらしく、その感じがほのぼのと、こころよく、雪のひとひらの全身に、くまなくみちわたりました。

もうすこしも、さびしいとは思いませんでした。だれかがこちらを思っていてくれることがわかるとともに、なぐさめとよろこびが胸にわきおこり、雪のひとひらは、安んじてそのしあわせに身をゆだねたのです。

それでもまだ、おのれというものの秘密が、すこしでもとけたわけではありませんでした。この身をつくりだしたのは、はたして何者なのか。どのような目的があってのことなのか。また、このしみじみとした、心なぐさまる思いはどこからもたらされるのか。雪のひとひらは、それが知りたいのでした。それがわかれば、その何者かのそそいでくれるいつくしみに、いくぶんなりと報いることもできます。いま、こうしてこんなにみちたりた、やすらかな気持でいられるのも、つまりはそのおかげではありませんか。もしかして、この旅路の果てまで行きつけば、そのひとのことがもっとよくわかってくるのかもしれないのでした。

地上をさして、雪のひとひらがはるばると舞いおりてゆくこのくらい世界に、あかつきのひかりがさしそめ、それにつれて、

空はまず鋼色《はがねいろ》の青みをおび、それから灰色に、つづいて真珠色にかわりました。雪のひとひらは、風のまにまにひらりはらりときりきり舞いをつづけるわが身をながめ、われながらきれいだと思いました。

　このからだは、ガラスか綿菓子のかけらのような、幾百幾千の、きよらかにかがやく水晶でできていました。

　全身が、星と矢と、氷とひかりの三角四角のあつまりで、さながら教会の玻璃窓《はりまど》です。きらきらする花びらをいっぱいつけた花です。レースのようでも、ダイアモンドのようでもあります。とはいえ、何よりもまず雪のひとひら自身であって、なかまのだれにも似てはいません。幾百万という雪たちがおなじ吹雪で生まれたわけなのに、それでいて一つとしてたがいにおなじものはないのです。

雪のひとひらは、この身をかくも美しくつくってくれたそのひとに、お礼を申し上げたい気持でした。また、一瞬のうちにかくもおびただしい雪たちをつくりだしながら、そのだれもがそれぞれに宝石のようにあいらしく、しかも一人としてそっくりおなじではないなんて、どうしてそんなことができたのか知りたく思いました。これほどのいつくしみと忍耐とをかけて、ひとりひとりを仕上げながら、同時にかくも数多《あまた》の雪たちを世にあらしめるなんて、そのひとは、よっぽどのおかたにちがいありませんでした。

雪のひとひらの生まれた空の高みは、身を切るような風にふきさらされた、おそろしく寒いところでしたが、こうして測り知れないほど長いひまをかけておちてきてみると、あたりはいつしか、しだいにあたたかくなり、風もしずまってきたようでした。

いまでは、きりきりくるくると身をよじらせることもなく、もっとゆっくり、しずしずと下ってゆくのでした。それは、いかにもこの長旅がそろそろ終りに近づいたことを思わせる、こころよい感じの、うっとりするようなおだやかな沈みかたでした。

じじつ、旅は終ろうとしていたのです。

まもなく、下には何があるかもわかってきました。くらい山の頂きと、雪におおわれた斜面と、すっくりとそびえたつ森の木々と。丘の中腹には、村里が一つあって、家々や家畜小屋や、玉ねぎみたいなまるい尖塔《せんとう》のある教会がありました。
雪たちは、岩や、木の枝や、屋根のてっぺんや、窓ガラスなど、手あたりしだいのものにとりつきました。早朝のさんぽに出ていた老人の、もじゃもじゃの眉毛《まゆげ》にくっついたものまでありました。雪のひとひらは雪のひとひらで、村を出外れてすぐの山裾《やますそ》の原っぱに、ふうわりと、音もなくおりたちました。旅は終ったのでした。

それからほどなく吹雪もやみ、あたりは明るくなりはじめま

した。おかげで雪のひとひらは、しきりに頭《こうべ》をめぐらし、じぶんがどこにいるかも見当をつけることができました。

いまいるところは斜面の中腹で、村と、玉ねぎみたいな奇妙な形の尖塔のある教会とが見わたせました。教会の下手には学校が一つと、とんがり屋根の小さな家々がひとかたまり。家々の軒下はたいてい、色とりどりの絵でかざられ、二階には彫刻入りの手摺《てすり》をめぐらしたバルコニーがついていました。

二階の窓にちらほらと、黄色い灯《あかり》がともり、煙突からほそい煙がしずかな空へとたちのぼりはじめました。

近くに道標《みちしるべ》が一本ありましたが、そこにも雪のひとひらの兄弟たちがふりつもっていて、たれさがったその雪帽子のせいで、道標の字はわずかに「……の山」としか読めませんでした。

名前はどうでもよいけれど、ともかくついたところが村里で、それほど高いところでなかったのはしあわせでした。山の上には黒々とした岩にわずかに木が生えているばかりで、いかにも寒々としてさびしそうでした。

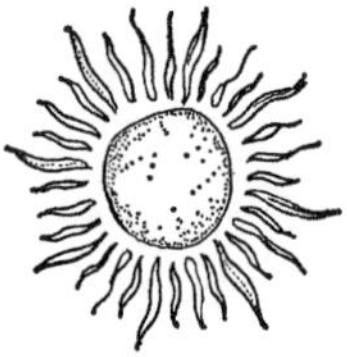

風が雪をふきはらいました。空はしだいにかがやきまさり、やがて、奇蹟《きせき》がはじまったのでした。

まず、谷向うの雪をかぶった山のてっぺんが、ほのかなバラ色にそまり、それが、ゆっくりと、峯《みね》また峯へつぎつぎにひろがってゆきました。空も、岩も、木々も、うすべに色をおび、はるか目の下を流れる川にその色は映って、あたりいちめんの雪を一色にそめあげました。そしてまもなく、あたかも世界中がひとつのバラの花びらの鏡と化したかのように、空気にまでうすべにの色がみちあふれたのです。

見れば、雪のひとひらじしんだって、いまでは白いどころか、ほかのあらゆるものとおなじ、このやわらかい美しい色にとっぷりひたっているのでした。

山頂のかがやきは、それから黄金と、オレンジと、レモンの色にうつりかわり、斜面の青いかげりは、山の端から絵具のようにあふれだしたひかりに追われ、消えうせて、まもなく目路《めじ》のかぎりの峯々、山々が、朝の日に黄色くてりかがやきました。どこか遠くの方から、橇《そり》の鈴の音がひびいてきました。あまりの美しさに、雪のひとひらは、声をあげて泣きだしたいくらいでした。生まれてはじめて、日の出というものを見たのですもの。

朝もかなりたって、あっと思うようなことがおこりました。鉄の滑り金に高い木の台をしつらえた橇にのって、一人の小さな女の子が、丘を下ってきたのです。亜麻色のおさげと、きらきらした青い眼《め》と、ごむまりのようなあかいほっぺたをした女の子でした。

　まあ、それはそれはほがらかな子で、ふさのついた赤い帽子をかぶり、手には赤い手袋をはめて、橇の上にいさましくふんぞりかえっていました。通学かばんを背中にくくりつけ、紙包みにしたお弁当をかかえて、右へ左へ両足でたくみに橇をあやつりながら、さかんな雪けむりをあげて、しゅうっととんでゆくのでした。

その子の通りすぎるときです、鉄の滑り金が雪のひとひらの胸にふかくくいこみました。おそろしいいたみに、思わず小さな悲鳴が口をついてでたほどでした。

けれどもその声は、女の子の耳にはとどきませんでした。その子はさっさと行きすぎ、ただそのうきうきしたはしゃぎ声をつめたい朝の気にただよわせたまま、とうとう丘のふもとの学校までたどりつくと、正面玄関のまえでぴたりと橇をとめ、中へ入っていってしまいました。

また引返してきてくれればいいのに、と、雪のひとひらは、われ知らずそんな気持になっていました。なぜって、ほんとにあかるくて、すてきな子だったのです。そうです、日の出よりもっとすてきだとさえ思われるのでした。

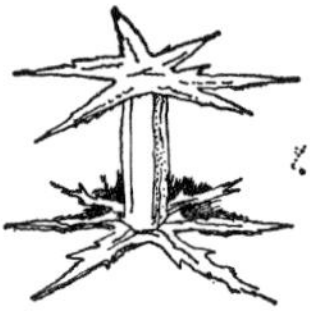

雪のひとひらには、わからないこと、知りたいと思うことがいっぱいありました。

まず、生まれてまもなく、あの日の出に、あんなに美しくあいさつされ、しあわせな気持につつまれたことを思いました。だれかは知りませんが、そのひとは、朝空にあのような絢爛《けんらん》たる絵巻をくりひろげて、みずからつくりだしたものたちすべてにむかい、いとも大らかにその愛を示してみせてくれたではありませんか。

それからまた、あの黄色っぽいおさげと青い眼とあかいほっぺたの女の子、いさましく橇にまたがり学校へ行く道すがらもたえずわらいつづけていたあの子をつくりだすなんて、何とすばらしいことではありませんか。

それにしても、何をめあてで行われたことなのか。そして、だれがだれのために役立てばよいというのか。

雪のひとひらにしても、ただ、学校におくれまいとしていそいで橇をとばすあの子の、その橇の滑り金の下敷きになるために生まれてきたにすぎないものなのか。

それとも、造り主は、あの愛くるしい顔と銀のようなわらい声をした女の子を、ただただ雪のひとひらをよろこばせるためにのみ世にあらしめたとでもいうわけなのか。

こうしたさまざまの問題に、いったいどうすれば答えを見出《みいだ》すことができるのでしょうか？

そのひまにも、まわりではまた目新しい、わくわくするようなことがたてつづけに起るので、雪のひとひらは、いままで考えあぐねていた問題を、まもなくわすれてしまいました。

丘のふもとのとっつきにある納屋《なや》から、一人の百姓が、ふさのついた毛編みの帽子をあたまに、柄《え》のまがった大きなパイプをくゆらせながらあらわれたのでした。灰色の牝牛《めうし》の手づなをひき、白黒まだらの粗い毛並の、小さな犬をつれていました。

犬はかしこそうな、人なつっこい顔をして、主人の足もとにじゃれついています。牝牛の首には、四角い鈴がゆわえつけてあって、うごくたびにりりん、りりん、きれいなやさしい音がするのでした。

雪のひとひらの横たわっているあたりに近づくと、灰色の牝牛がちょっと足をとめました。百姓は「ほい、どうした!」とさけび、犬はほえながら、ひづめにかみつきそうなふりをみせました。鈴の音がりりんとこぼれ、雪のひとひらは、一瞬、牝牛の顔に見入りました。大きくおだやかで夢みるようなその眼は、長い品のよいまつげにふちどられて、いかにも辛抱づよく、善良そうでした。

「なんてものやわらかな、美しい眼だろう」雪のひとひらは思い、あらためて心うたれたのです。「美って、何なのだろう。

わたしもいままでに、空と、山と、森と、村を見た。それから日の出、女の子、そして、この灰色の牝牛の眼。それぞれ、ちがったものでありながら、わたしをしあわせにしてくれたことでは、いずれもおなじなのだ。これもみな、どなたかはぞんじあげないけれど、おなじ一人のひとのつくりだしたものにちがいない。そのひとの手になるものすべてが、つまりは美のためにあるということも考えられるだろうか？」

吹雪もおさまり、日がさしはじめたので、村人たちは、ふたたびいつもの仕事にとりかかりました。なにはともあれ、まず

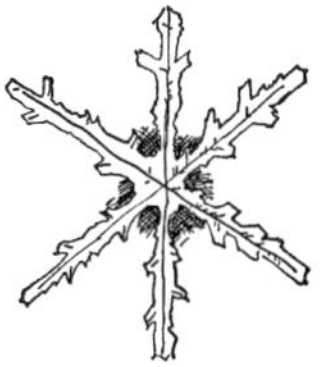

門口から通りまで雪かきをしなければなりませんでした。道の両側にはさながら山脈の模型のように、雪がうずたかく積みあげられました。

それがすむと、樵夫《きこり》は、木挽《こびき》台と大きな弓なりの鋸《のこぎり》をもちだして、庭においてあった丸太を薪《まき》の長さに伐《き》りはじめました。むすこも手伝いにきて、きらめく斧《おの》で木をさらに割り、たきつけをつくりました。

となりの家では大工が仕事をはじめ、つくりかけの窓枠《まどわく》にかんなをかけたり、金鎚《かなづち》でたたいたりしていました。

べつの家では、ブリキ職人が、重たい鋏《はさみ》や木槌《きづち》をあやつり、ぎらぎらするブリキ板を切ったり曲げたりして、すきなかたちに仕上げていました。

通りのつい上手にある農場では、農夫の妻が両手に残飯のバケツをさげてあらわれ、鶏《にわとり》や豚《ぶた》にえさをやりに行きました。豚はきいきい、声をあげて豚小屋の戸口にむらがり、鶏はぶるっとつばさの雪をふるいおとしながら、かけよってきました。
ひえびえと冴《さ》えわたった冬の日に、鋸や薪割りや槌やかんなの音、きいきい、ぶうぶう、くっくっ、こっこっいう声がみちみちました。

赤い帽子と手袋の小さな女の子は、その午後学校から出てきたときには、二人の男の子といっしょでした。どちらも競争で女の子を思いきりわらわせようとしていました。雪のひとひら

のつもっているあたりまでくると、男の子のうちのひとりがさけびました。「よし、フリーダに雪だるまをつくってやろうよ！」

二人は、いうより早く仕事にとりかかり、いっしょになって大きな雪玉をまるめあげて体にし、それより小さめのをのせて頭にしました。石炭二かけらで目ができ、木切れで口ができました。

「こいつに長い鼻をくっつけてやろう、ヒュスリ先生みたいなのを」片っぽの男の子がそうさけぶと、やにわにかがみこんで両手に雪をすくいあげ、ぎゅうぎゅうかためはじめました。

そして、何と、雪のひとひらは、そのかたまりのなかに入れられてしまったのです。

まあ、押しかためられて、そのくるしいことといったら、ほとんど息もできませんでした。あんなにほこらしく思っていた自分の意匠《デザイン》も、すべて打砕かれてしまいました。鼻ができあがると、男の子はそれを雪だるまの顔のまんなかにまっすぐに植えつけました。それから、みんなして雪だるまの手に定規をもたせると、ほんとにヒュスリ先生そっくりだと口々にいうのでした。

小さなフリーダは、わらってわらって、きゃあきゃあはしゃぎ声をあげ、それから男の子たちともども、なおもわらいこけながらかけていってしまいました。雪のひとひらは、学校長ヒュスリ氏そっくりの雪だるまの鼻の一部として、とりのこされました。

はじめのうち、雪のひとひらは悲しくてたまりませんでした。なぜこんなことになったのか、わけがわからなかったからです。思いはつねに、そのなぜというところに立ちもどってゆくのでした。すべては何をめあてで行われていることなのか。あの天の高み、雲のなかで、せっかく心をこめてこの身を美しいかたちに仕上げてくれたそのひとが、なぜ、こうして見るもむざんに押しつぶされて雪だるまの鼻になることをゆるしておくのか。

ほんとに、そのひとはなぜ、この身を、赤い手袋をしてお弁当の紙袋をかかえた、青い眼《め》の、亜麻色のおさげの女の子にするかわりに、雪のひとひらとしてつくりあげたのか。橇《そり》にのって丘をすべり下り、学校へ行ってお友だちにめぐまれるなんて、さぞかしたのしいことにちがいないのに。

けれども、まもなく、雪のひとひらは元気をとりもどしました。丘の雪だるまのそばを通る人々は、いずれも足をとめ、校長先生そっくりのその鼻を見ては、わらったりふきだしたりしたからです。なにしろ先っぽに垂れかけている水洟《みずばな》のしずくまで、そっくり生き写しだったのです。

雪のひとひらはほっとしました。わらってたのしむのは、人々にとってよいことのようでした。もしかすると、この身はそのためにつくられ、地上に送られたのかもしれませんでした。だれかが通りかかるたび、雪のひとひらは、早くわらいだしてくれないかと、待ちどおしくさえ思いました。

やがて、一日、ふだんとは打ってかわった日がやってきました。その日はのっけからしずかで、おごそかでした。子供たちは学校へ行かず、だれもかれも仕事をやすみ、納屋《なや》の鶏や家畜たちさえも、鳴りをひそめているようでした。ただ、玉ねぎ形をした教会の尖塔《せんとう》の鐘楼《しょうろう》から、鐘の音ばかりが高らかに、さえざえと、いつにない威厳をおびてひびきわたりました。

つづいて、雪のひとひらは、こよなくすばらしい光景を目にしたのです。村中の老若男女《ろうにゃくなんにょ》が、下手の教会まえの広場に、盛装してあらわれたのでした。女たちは、長スカートの下に何枚もペチコートを重ね、髪をきちんと編みあげていました。男はみな、上衣《うわぎ》に銀や角のボタンのついた黒ずくめのスーツを着込み、たいていの者が金時計や銀時計の鎖をひからせていました。かぶっているのは、緑色のリボンのついた黒い円い帽子で、小さな羚羊《かもしか》の毛の飾りをうしろにさしていました。

子供たちもやはり、上等のスキースーツや愛くるしいよそゆきすがたで、女の子はいずれも、麦わら色のおさげに、はなやかなリボンや飾りひもを編みこんでいました。

だれもかも、さっぱりと洗い清め、ぴかぴかにみがきあげた装《よそお》いでした。人々は、何ごとかを待ちうけるふうに、教会のまえの広場に三々五々たむろしていました。何がはじまるのか、雪のひとひらは胸をときめかせました。

まもなく疑問はとけました。いままでにもましてすばらしい、目のさめるようなことがおこったのでした。
見わたすかぎりの山の斜面の、道という道、坂という坂に、小さな黒い点々があらわれたのです。点はしだいに大きくなり、近づいてきて、橇にのった家族づれ、父、母、子供たちが見わけられました。みんな、村里はなれた山の農場に住む人々で、こうして教会まですべってきたのでした。
この人々もいずれも盛装していました。なにしろ日曜日だったからです。白雪に黒地のスーツがくっきりとてりはえ、女の子たちのあざやかなリボンは旗のようになびいていました。橇は、あらゆる方角から一点をめざし、音たてて丘をすべり下りてきて、広場の笑い声やあいさつにむかえられました。

さいごの一家族が到着すると、みなは教会へ入ってゆき、広場はがらんとしてしまいました。

オルガンの奏楽と、老若の人々のいっせいにうたいだす声がきこえてきました。きいているうちに、雪のひとひらは、なぜとも知らずふかく心をうごかされるのを感じました。

礼拝《れいはい》が終り、人々が帰ってゆくころには、空がくもり、めっきり冷えこんできました。黒いフロックコートをきて、ふといステッキをもった一人の老紳士が、雪だるまのそばを通りかかり、立ちどまってじっとながめました。長い鼻で、けわしい目つきをしています。このひとは、ほかのひとのようにわらったりはしませんでした。学校長ヒュスリ先生そのひとだったのでした。

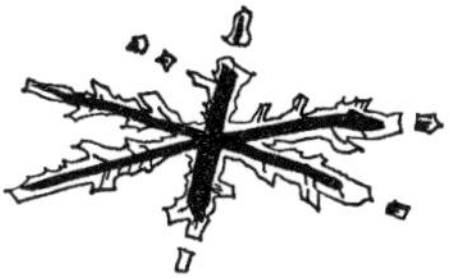

そうです、ヒュスリ先生は、わらうどころではありませんでした。見る見る顔をあからめ、猛烈に怒りだしたのです。とりわけ、雪だるまの鼻とじぶんのそれとを見くらべ、先っぽの水洟のしずくにいたるまで、そっくり生き写しなのを見たのがいけませんでした。

ヒュスリ氏は声あらかにステッキをふりあげると、雪だるまを打ちすえはじめ、雪だるまはついに粉々に砕けて、丘の斜面の雪のうえにちらばってしまいました。

先生は、それでもまだ気がすみませんでした。雪だるまの頭の残骸《ざんがい》のなかから、くだんの長い鼻のついた部分をさがしだすと、「どうだ！」と一声、泥《どろ》だらけの長靴《ながぐつ》のかかとでもって、憎々しい相手をめちゃめちゃにふみにじり、鼻はついに、もはやいささかも原型をしのばせぬまでに粉みじんになりました。

というより、雪のひとひらのすがたすらとどめぬまでに、といった方があたっているかもしれません。

「たすけて！」雪のひとひらはさけびました、「だれか、たすけてくれませんか？」

けれども、こたえはなくて、雪のひとひらは、打砕かれ、汚され、暗い心で、いたみにあえぎながら、その場に横たわっていたのです。腹だたしげになおもぶつぶつつぶやきながらぎくしゃく遠ざかってゆく、ヒュスリ氏の足音をききながら。それからすこしして、ふたたび雪がふりはじめました。

このたびの吹雪はまるまる一昼夜ふりつづき、それがやんだときには、雪のひとひらは、あたらしい積雪の何フィートも下にうずまっていました。

あたりはまっくらで、もはや何ものも見えませんでした。見えないとはいうものの、しかしまだ、聞くことはできました。雪のひとひらは、耳をすませては、頭上で何がおこっているか、あてようとするのでした。

たとえば、いまあの百姓は、乳をしぼろうと思って、灰色の牝牛《めうし》をうちへつれてゆくところにちがいありません。ものやわらかなモウという声と、首にかけた四角い鈴のやさしいひびきがきこえたからです。

こうして、雪のひとひらは、全身を耳にして、ききなれた物音をひたすらまちうけました。この身がうずもれ、忘れられているひまにも、村の暮しはあいかわらずつづいていることを、それらの物音は伝えてくれるのでした。時をつげる教会の時計の音がきこえ、礼拝へいざなう鐘のひびきがきこえました。木を挽《ひ》く音、釘《くぎ》を打つ音、雄鶏《おんどり》のときの声、さまざまでした。

犬はわんわん、猫《ねこ》はにゃあにゃあ、ないていました。足音がして、人々がたがいに「やあこんちは」とあいさつしながら通ってゆきました。一度は、あの赤い帽子と手袋の女の子のわらい声がきこえたような気さえして、雪のひとひらは、なつかしさのあまり悲しい気分にさそわれました。もう二度とあの子にあうこともあるまいと思われるからでした。

こうして、雪のひとひらにとっての新生活がはじまったのです。しあわせな生活ではありませんでした。吹雪がくりかえしおそい、または雨がふって、雪のおもてをこちこちに凍《い》てつかせるたびに、彼女はしだいに深く暗闇《くらやみ》にうずもれてゆきました。

まもなく、物音すらほとんど耳にとどかぬまでになりました。たまさかきこえたとしても、おぼろげで、何の音かもさだかにはわかりませんでした。礼拝へ誘《いざな》う教会の鐘の音か、それとも鍛冶《かじ》屋の槌音《つちおと》か、首をかしげることもしばしばでした。学校の生徒たちのたのしげにむれはしゃぐ声か、それとも鶏のこっこっなきたてる声か。あの灰色の牝牛のかすかな啼《な》き声か、それともはるかな山裾《やますそ》の谷間《たにあい》を川沿いに走る汽車の汽笛のひびきなのか。

とはいえ、陽気な子供たちや、日の出日の入りの光景を見られぬことや、さわやかに頬《ほお》をうつつめたい風にあたれぬことや、美しいからだを台無しにされ、汚れ、泥まみれで闇にうずもれていること、そうした悲しいことどもよりもさらにふかく、何にもまして雪のひとひらを悲しませたのは、何者かに見捨てられたような気のすることでした。造り主であるそのひと、生まれてまもないあのとき、風のゆりかごのなかで、あんなにもしあわせに心づよく思われた、そのひとの愛が、いまは失われているのでした。

こうしてうずもれていると、なぜか、この状態がはてしもなくつづくような気がしてなりませんでした。この身はただ、日の出を見、少女のわらい声をきき、雪だるまの鼻になることのためにのみ生を享《う》けたのか。そんな気さえしてくるのでした。
　とはいえ、この身がつくられるためについやされた心づかいと、すでに味わい知ったあのいつくしみと。それらを思い出せば、けしてそんなはずはなく、ただ、いまのところわすれられ

ているだけなのだ、ということもわかるのでした。満天の星をつくりだしたそのひと、教会の玉ねぎ形の尖塔《せんとう》を思いつき、やさしい眼《め》をした灰色の牝牛と村人らすべてとをともども世にあらしめたそのひとは、おそらくとても多忙なのにちがいありません。

そこで雪のひとひらは、こちらから、そのひとにむかって訴えかけ、どうぞたすけてくれるように、とたのんでみることにしました。そうと心がきまると、何かこう、そのひとがすぐそばにいて、耳をかたむけていてくれるような気がしてきました。

雪のひとひらは申しました。「どなたかぞんじませんけれど、わたしをつくってくださったおかた、あなたはわたしをおわすれになったのでしょうか？　わたしはひとりぼっちで、おびえているのです。どうぞたすけてくださいませ。この闇からつれだして、いま一度、ひかりを仰がせてくださいませ」

そして、そうたのみおわったあとに、おずおずといいそえたのです。「あなたが好きなのですもの」

そこまでいってしまうと、もはやさびしさはきえ、打ってかわってしあわせに心がはずみはじめました。何やらすばらしいことが起りそうな気がしてきたのでした。

はじめにまず、頭上から、耳なれぬ太鼓のひびきのような音がきこえてきました。それがまた、はてしもなくつづくらしいのでした。雪のひとひらにとっては、いままでにきいたことの

ある物音のどれともちがったひびきでしたが、じつはそれは、早春のさいしょの雨が、かたく凍《い》てついた冬の雪のおもてを打つ音だったのです。

それでも、いずれにせよ、いま頭上で起りつつあることは、よい訪れであり、こちらの祈りにたいする答えであろう。雪のひとひらは、なぜとも知らずそんな気がしました。おそれはしずまり、なぐさめられ、力づけられる思いで、彼女はこのあたらしい音に耳をかたむけました。

太鼓のようなひびきはよわまって、ぴしゃぴしゃいう音に変り、いまではちょろちょろいうささやきもまじってきていました。長雨がようやく下まで浸《し》み通ってきて、いまだに地表をおおっている凍った雪や氷の層の下を、小止《おや》みなく水が流れはじめていたのです。

つづいて、ある日、雨はやみ、あたりがすこしずつあかるくなってきました。はじめはとても本当とは思えませんでした。けれども、いままで雪のひとひらの長らく住みなれた暗闇は、藍色《あいいろ》に、それからエメラルドグリーンにとうつりかわり、あたかも強い光線が重たいヴェールをつらぬいてさしこんでくるように、黄色くそまってゆきました。

つぎの瞬間、まるで魔法みたいに、そのヴェールが取りのけられました。頭上には太陽が、雲ひとつない大空からあたたかく、さんさんとふりそそいでいました。雪のひとひらは、ふたたび解き放たれたのでした。思わず心からの叫びが口をついて出ました。

「お日さま！　お日さま！　なつかしいお日さま！　ああ、お目にかかれてよかった！」

雪のひとひらは、解き放たれたうれしさに胸をつまらせ、ありがとう、ありがとう！　と大声でさけびました。これならば、彼女の祈りをききいれて闇の牢屋《ろうや》から救い出してくれたそのひとの耳にも、とどいたかもしれませんでした。

それからはじめて、あたりを見まわしてみて、彼女はあらためておどろきとよろこびにみたされたのでした。

これはまた、自分が生まれおちたときの、あのもっそりした灰色と白との世界とは、似ても似つかぬありさまでした。いまやすべてがみずみずしく、みどりに萌《も》え、花々におおわれているのでした。

そうです、はるかな山の頂きはいまだに白い綿帽子をかむり、山腹にも少々、のこんの雪が消えやらずにいるものの、あとはどこもかしこもやわらかい若草ずくめでした。小さな鈴のかたちをした白いこまかい花々が、たわんだみどりの茎のさきについているのも、ちらりと見えました。

四角い学校の建物や、教会や、たのしげな絵の描《か》かれた村里の人家など、なつかしい見覚えのあるものたちもそのままそろっていましたが、木々だけは、かつては雪の重荷にうなだれていたのが、いまや新芽をつけた腕をお日さまに見せようと、ほこらしげに高々とさしのべていました。

この冬降った雪のうちでも、雪のひとひらは、いちばん早く山についたのでしたから、日の目を見るのもいちばん遅かったのです。いまではあたりいたるところで、水たちが走りながら、せわしないせせらぎを奏《かな》でていました。

うきうきとしあわせでたまらなくなっているやさきです。雪のひとひらもいっしょになって走りはじめました。

彼女はなめらかな草の上を走りすぎて、小道にいたり、丘を下ってゆきました。ウインドにふといソーセージの鎖がぶらさがった肉屋の店や、焼きたての狐色《きつねいろ》のパンがうずたかく積まれたパン屋を通りすぎ、市の立つ広場をよこぎり、小学校のそばをかけぬけて。学校では、あのあかいほっぺたをした女の子が

ヒュスリ先生の質問に手をあげてこたえようとしているのが、窓からちらりと見えました。

それから柵《さく》の下をくぐりぬけ、溝《みぞ》を通りすぎました。灰色の牝牛の飼主である百姓の農場を通り、納屋《なや》をすぎ、干草の山をまわり、地虫をしきりにつつきだしている白い雌鶏《めんどり》の黄色い脚をのりこえたり、目をみはるばかりのあでやかな身のこなしで宙にとびあがり脚をふるわせている黒猫《くろねこ》の下をくぐったりもしました。

男の子がゴムボールをはずませているところや、こまを回しているところもすぎました。黄色いさくら草の咲きみだれる牧場や、農夫が大きな馬二頭に鋤《すき》をひかせて畝《うね》をたてている畑もすぎました。静かな林を走りぬけ、まるいみどりの葉かげのすみれの初花を目ざめさせせました。まだまだ、いろんなものたちに出会いました……
　こうして走りつづけながら、ふと、雪のひとひらは、自分の身にふしぎなことが起ったのにはじめて気がついたのです。この身は、いつしかもとのすがたと似ても似つかぬものになっているのでした。

　まことに、胸もときめくばかりのすばらしい変化がおこったのでした。雪のひとひらは、もはやかつてのような、星と十字と三角四角とを一つづりにして織りなしたレース模様の生きものではありませんでした。いまではまるくって、朝のひかりの

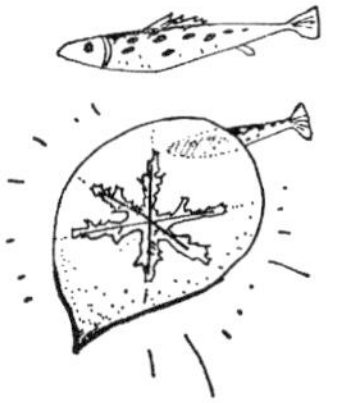

ように清らかで、くもりなく透きとおり、小さな銀の鏡のように、まわりのものの色を片っぱしからとらえて映しかえすことができるのでした。
いましがた苔《こけ》の上にうずくまる蛙《かえる》のエメラルドグリーンを帯びていたかと思えば、つぎの瞬間には、小川におどるすばやい川鱒《かわます》のえらのひらめきを映して、つかのま真紅《しんく》にそまったりしました。
水際《みずぎわ》にさくクロッカスのむらさきを映したかと思えば、バタカップの初花の黄色にかわり、一秒後には年経《ふ》りた樫《かし》の木の物さびた茶褐色《ちゃかっしょく》になりました。
それからさくらの花の薄紅《うすくれない》にそまり、それから、飛びすぎてゆく駒鳥《こまどり》の胸毛の色をちょろまかして橙々《だいだい》ぼかしに、春の空さながらにあさみどりになったりしました。岩角の灰色、烏《からす》の羽のつややかな濡羽《ぬれば》色《いろ》、仔牛《こうし》のまだら、すべてが彼女のものでした。

とはいえいまひとつ、おなじようにいちじるしい変化をとげたことがあったのです。

いったん丘を下りはじめてからというもの、雪のひとひらは、どうしても立ちどまることができなくなっていたのです。彼女には知るよしもないことでしたが、これは長旅のはじまりであり、あとはただひたすら走りつづけなくてはならないのでした。いのちあるかぎり、二度とふたたび落着く日はないのでした。

まわりにいるのはいずれも、雪のひとひらの生まれたその日に、ともに空から舞い下りてきた兄弟姉妹たちで、彼らもまた、白い雪からきらきらと透きとおる水に変り、おなじ旅路に加わってきていました。

いまではしかし、ただ丘をこえてゆくぐらいではすみませんでした。狂ったようにほとばしりながら、川床のなめらかな石やさざれの上をはねて、下へ下へととびおりてゆくのでした。こころよい解放感のある下りでした。すすむにつれ、ぴしゃぴしゃさらさら、ぐるぐるごうごういう音もおこり、おかげで胸もはずんで、ついぞ知らぬしあわせな気分になってきました。

小さな崖《がけ》のふちから身を投げて、泡《あわ》立つ滝壺《たきつぼ》へ傷ひとつ負わずにころがりこんだり、切立つ岩角をめぐってくだけたり、青《あお》柳《やぎ》が枝先をひたす小暗い深いよどみをゆっくりとただよったり、まことにスリルにみちたくらしがはじまったのです。

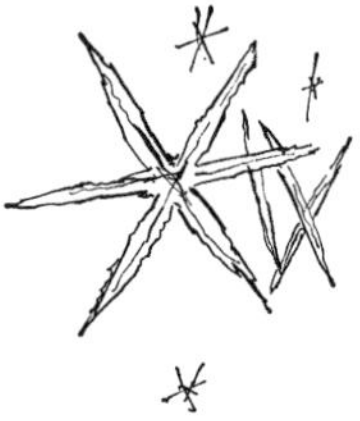

こうしてまぶしい日なたをすぎたかと思えば、日の目もとどかぬひいやりした松林の暗がりをくぐったりしながら山腹をいそぎ下るにつれて、雪のひとひらの目にはさまざまな光景がとびこんできましたが、時にはまだ凍《い》てついたままの雪の土手のあいだをかけぬけ、いまだにもとのすがたのまま取りのこされて出番を待っている兄弟姉妹たちに出会うことも屢々《しばしば》でした。

そんなときには、うきうきと呼びかけてやりました。「いらっしゃい、……いらっしゃいってば。そんなふうに、つめたくふさぎこんでいないで。春なのよ。見るもの、することがいっぱいあってよ。おいでよ、……あたしについておいでよ、ねえみんな！」

とはいうものの、はたして来てくれたかどうか、ふりかえってたしかめるひまさえありませんでした。それほどの勢いで岩角や浅瀬をとびはね、ほとばしりながら、ようやく山のふもとにいたると、こんどは青草のひくい土手のあいだをうねうねとすすむ、やや広いややゆるやかな流れに入りました。川ぞいには鉄道が走っていて、お客を大勢のせた汽車が時折通りすぎました。

子供の頃《ころ》、山の頂きの高みから眺《なが》めくらしたはるかな谷とおもちゃみたいな小さな鉄道が、すなわちこれなのでした。雪のひとひらは、濃緑《こみどり》の鏡のような流れの水に加わりながら、自分

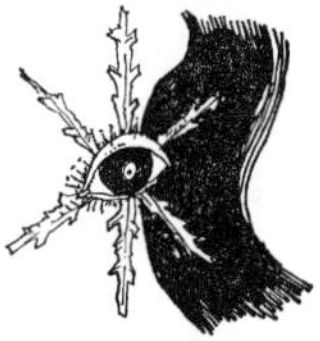

もつくづく大人になったものだと思いました。

山のせせらぎは、雪のひとひらもろとも、泡だち渦巻《うずま》きながら谷間の流れに入り、そのとたんから彼女は深みのある水の滔々《とうとう》たる勢いにのって運ばれはじめました。

それでもまだ、わが来《こ》し方《かた》をいま一目ふりかえってみるだけのゆとりはありました。緑なす山の高みには、斜面にへばりついたような村里の家々がのぞまれました。くろずんだ板葺《いたぶ》き屋根の学校の白い校舎や、玉ねぎ形の尖塔《せんとう》のある灰色の石造りの教会まで、はっきり見わけられましたが、ただしこのたびは、そちらの方が子供のおもちゃみたいにちっぽけなのでした。

　おどろいたことに、その村の上にそびえる山の頂きは、いまだに白く雪に蔽《おお》われたままでした。

　すると、雪のひとひらには、あのように多くの兄弟姉妹がとりのこされて踏みとどまる運命であったのに、自分ばかりがえらばれていまのすがたになり、世の中を見に旅立ってきたことが、とても奇妙なことのように思えてきました。なぜそのようなことになったのか、ふしぎでした。それから、かのひとのことに思いいたりました。こんなにやさしくしてくれるからには、この身をつくったそのひとは、他の誰にもましてわたしをいとしく思っていてくれるのだろうか。そうです、そうにちがいありませんでした。

　それからまもなく、ぞっとするような冒険がひとつありました。

　しばらくまえから水の勢いが刻々と速まってきたのには、彼女も気がついていました。かたわらの軌道《きどう》の上を轟々《ごうごう》と音たてて通りすぎる汽車と、ほとんどおなじほどの速さでした。

　川幅はせばまり、はるかかなたから、どよめくような物音がつたわってきました。とはいえ、汽車の騒音とはまったくちがうもので、何かこうわが身にかかわりある事件にちがいないような予感がするのでした。

雪のひとひらの属するその水の表面すらも、いまではおだやかならず、時にはくるくると大小さまざまの渦巻をかたちづくったかと思えば、つぎにはさながら溶けたガラスの壁となって、ひた走ってゆくのでした。

流れはいよいよ速まり、どよめきはますます高まってきました。あたかもあたりすべてが一丸となって、いっせいに叫びだしたようでした。「いいか、みんな気をつけろ、いよいよだぞ！」

それから、ごろごろと雷のような音がしたかと思うと、雪のひとひらはもんどりうってくらい奈落《ならく》へ落ちこみ、つぎの瞬間には粉挽《こなひき》小屋の大きな木製の水車にまきこまれて、あぷあぷ、ふうふう、溺《おぼ》れかけながら、白い水泡《すいほう》となって砕け飛び散ったのでした。

ばしゃん！　彼女は水車の幅広い板の上に落ちたかと思うと、いま通ってきたばかりの高みからひきつづきなだれ落ちてくる水の重みに打砕かれ、目もくらんでしまいました。
　滝のざわめきと、巨大な水車の轟《とどろ》きと、がたんごとん、水勢におののきながらゆっくりとめぐる水車のあらゆる部分から発するものすごい軋《きし》み、唸《うな》りと、粉挽小屋のなかの挽臼《ひきうす》のあらあらしい音とで、耳を聾《ろう》するばかりのものすごさでした。
　あまりのことの到来に、雪のひとひらはふるえあがり、助けてくれと叫ぶことさえできませんでした。これはてっきり最後の日がやってきて、この身もほろびるのだと思いこみました。

つづいて水車が水の重みで沈んだかと思うと、雪のひとひらはふたたび自由の身になっていました。泡だつ白いしぶきの渦に落ちこんで、さっと運ばれたかと思うと、つぎの瞬間にはふたたびおだやかな小川にもどり、芽吹いたばかりの木々のそばをすべるように流れだしていたのです。

後にしてきた粉挽小屋で、だれか女のひとの、粉挽に語りかける声がしていました。「まあ、なんてきれいな白い粉だろうね。一キロ買ってって、うちのひとや子供たちにパンを焼いてやるわ」

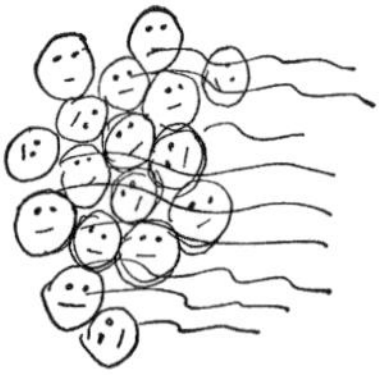

　谷の両側の山々は少しずつ小さくなり、なだらかになってきました。小川は西側からきたべつの流れと出会い、シーザーの軍団の築いた灰色の石橋のアーチをくぐるところで二本あわさって、まえよりはゆったりとしたあゆみのささやかな川になりました。雪のひとひらもその中にいました。

　さきほどの水車での体験のために、彼女はいまだにふるえ、おののきがとまらず、このさきどのような新手《あらて》の危険がまちかまえていることか、またそれに耐えるだけの力や勇気が果して自分にあるかどうかとあやしむのでした。こんなことなら、いまではるかかなたに消えかけているあの山の頂きの平和な雪原に、静かに安らかに横たわっていた方がましだったのに、とさえ思いました。

なにより気が滅入《めい》るのは、自分がひとりぼっちだということでした。なるほど、彼女は四方八方から自分そっくりの仲間たちにとりかこまれてはいましたが、そのこと自体が雪のひとひらをよけいさびしく思わせることだった、というのは、彼らはいずれもわがことにかまけているばかりで、どこからも友情のささやきはきこえてこなかったのです。だれひとり、彼女のことをかまってもくれなければ、こちらがどうなろうと我関せずなのでした。

ある晴れたあたたかい日、ようやくがらりと運命の変るときがきました。

川はしだいに幅ひろくも深くもなってきていました。雪のひとひらは、ある時は涼しい緑の深みにいて、すばやい長身の川かますや、ひたむきな鱸《すずき》や、物憂《う》げで優雅な鱒《ます》の泳ぎぶりに目をみはりました。さもなければ水面をただよいながら、しだいに都会めいてゆく家々や村里や木立のあわいを運ばれてゆくのでした。

それはちょうど水面にいたときのことでしたが、ふと、傍《そば》から雪のひとひらに声をかけてきたものがあります。

「やあ、雪のひとひらくんでしょう、きみは。ちがいますか」

「そうですけれど」雪のひとひらはこたえました。

「きれいだなあ、きみは」その声はいいました。

雪のひとひらはびっくりして、うれしくなりました。だれかにみとめられ、直接声をかけてもらったなんて、これがはじめてでした。

「ほんとにそうお思いになって？　だったらありがたいわ。でも、あなたはどなた？」いいながら雪のひとひらはあたりを見回し、声の主ははたして何者かたしかめようとしました。

「ここだ」すぐそばで声がしました。「雨のしずくです」

彼女はそこで声のする方を見やり、彼を見つけました。紛《まが》うかたない、一粒の、雨のしずくでした。

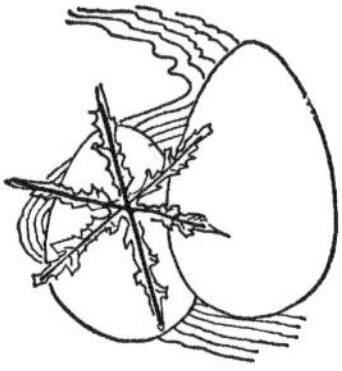

　彼は梨《なし》形をして、大きく、力づよく、ととのったすがたでした。傍《かたわ》らにならんでただよいながら、相手が日光にきらめき、青空の色を映し出しているさまを見ると、雪のひとひらは、彼だってきれいだ、と思うのでした。

　ともあれ、話し相手ができたとは、何というれしいことでしょう！　雪のひとひらはたずねました。「どちらからいらしたの？」

「空から。きみとおなじにね」雨のしずくはこたえました。

「もう何か月もまえに雲の中で生まれたんだが、ふってきたのはつい二三日まえだ。きみのあとについて山を下ってはきたけれど、いままでどうも声をかける勇気がなくってね」

「勇気だなんて、なぜ？」

「なぜって、あんまりきれいだからですよ」

そんなことがひとに話しかけられない理由になるものかしら、と彼女はいぶかしみましたが、しかし失礼があってはと思い、あえて口には出しませんでした。それはさておき、彼がまたしてもきれいだといってくれたので、うれしく思いました。

雨のしずくは、今度はややてれくさそうにいいました。「きれいはきれいだけれど、あの水車めぐりのときはよく頑張《がんば》りましたね。ぼくはもうてっきりだめかと思った。だが、きみのやるのを見ていたら勇気が出てきてね」

雪のひとひらはうれしくてうれしくて、ぼうっとする思いでした。自分ではしんじつ誰よりおびえあがっていたつもりなのに、それをよくやるなと思っていてくれるひとがあったのです……

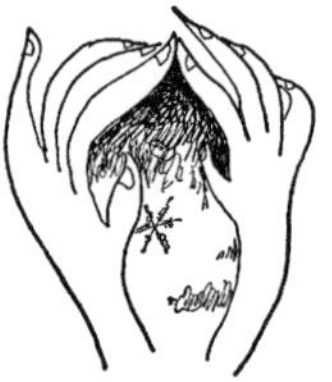

彼女は雨のしずくにいいました。「あなたの生まれたときのことをきかせてよ。どんなふうでした？」

「たしか、アイスランドの上空だったと思うよ」雨のしずくはこたえました。「何かこう、朝、目がさめたときの感じみたいだった。気がついてみたら、雲の一部になっていて、ぼくそっくりの雨粒たちが大勢よりかたまっているところだったんだ」

雨のしずくはつづけて、「それからみんなで長いこと、風のまにまにあちこちと、あらゆるところをめぐり歩いたよ。空から下を見下しても、目につくのは雪と氷ばかりだ。時にはぼくたちの下に厚い雲がたれこめ、雪がひらひら舞いおりてゆくのが見えた。それでもまだ、こちらの出番ではないから、上空にそのままとどまっていたんだ」

「出番でないって、なぜなの？」雪のひとひらはたずねました。

「さあ、それはわからない。誰にも説明できないんではないかな。それからある日、あたたかい気流に出くわして、ぼくたちもふりはじめたというわけさ」

雪のひとひらは、自分のふってきた日のことを思い出しました。すると、またしてもあの何者かのことが思い出されました。

「ね、だれがわたしたちをつくったのかしら。わたしたち、なぜふってきたのかしら。どうしてここに送られてきたのかしら。あなたはどう、だれかが自分のことをいろいろと思いやり、見守っていてくれるんだとはお思いにならない？」

「わからないねえ」雨のしずくはこたえました。「ただ、わかっているのは、きみに会って以来、きみのことしか考えられなくなったということだけだ。雪のひとひらくん、ぼくといっしょにきてくれるかい？」

またしても、あのあたたかいしあわせな思いが雪のひとひらをつつみました。こうして思いやりを示してくれる相手が身近

にいるのは、こころよいことでした。

彼女は雨のしずくにこたえました。「あなたって、ほんとにしんせつね。すこし待っててくださる？　すぐにはお返事できないのよ」

「いいよ、待とう」雨のしずくはこたえました。

まわりの景色は打って変ったものになってきました。ぎざぎざと切立った山脈《やまなみ》はかげをひそめ、かわって低いなだらかな丘や、花咲きみだれる牧場があらわれました。川沿いの町の数もしだいに多くなってきました。川は、時には矢のようにまっすぐ流れたかと思うと、また蛇《へび》のようにくねくねとうねり曲ってみたりもしました。そして、このさき何が控えているかは、だれにもわかっていないのでした。

にもかかわらず、雪のひとひらは終始心づよく、なぐさめられる思いだった、というのは、雨のしずくがすぐそばにいて、けして自分からはなれて行かずにいてくれたからです。ある日、もう心はきまった、と思いました。

雪のひとひらは呼びかけました。「雨のしずく……」

「雪のひとひらくん、どうだ？」

「あなたはあせらず、やさしくしていてくださったのね。もうお返事できます。そう、そちらさえよければ、お伴《とも》させていただくつもりよ」

それからしばらく、雪のひとひらと雨のしずくとはだまって

寄り添うたまま、折からの夕映えの空をうつして青と金色とにきらめく道を、なめらかに下ってゆきました。

「雪のひとひら」彼がよびかけました。

「雨のしずく」彼女ははじらいながらこたえました。

それから、二人はたがいに抱き合いました。

このときからというもの、ともども川を流れつづけながら、二人はもはや二人ではなく、一人でした。

彼女は雨のしずくであり、彼は雪のひとひらでした。もちろん、さまざまな点でいまだに自分自身ではあるものの、いまではたがいに相手の一部でもあるのでした。

あまりにもしっくり溶けあってしまったために、あたかもおなじ頭で考え、おなじ声でしゃべり、おなじ心で生きているようにさえ思われるのでした。

相手のいいたいことや感じたことは、口に出すよりさきに察しがつきました。たがいに力を藉《か》し合うこともできました。こうして結ばれていれば安心で、どんな運命もおそれるには及びませんでした。

生まれてこのかた、この身の味わったよろこびの数々を、雪のひとひらはのこらずおぼえていました。風のゆりかごのこと、日の出のこと、小さな女の子のこと、雪解けのこと、丘を走り下りたこと、……けれども考えてみると、いまほどしあわせだったことは一度もありませんでした。

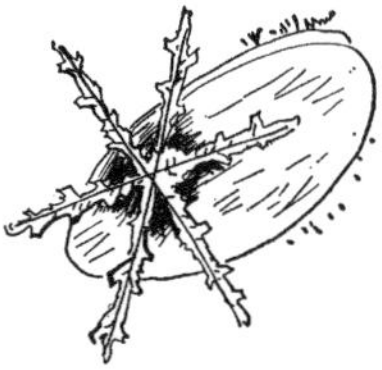

すこしして、雪のひとひらが声をあげました。「雨のしずく、ここはどこ？　川はどうなったんでしょう？」

雨のしずくはあたりを見回しました。いままで二人が長々と流れ下ってきた川の、両側の土手はもはや見当りませんでした。二人は大きななめらかな青い水のかたまりの一部になってしまったらしく、両岸ははるか遠くに低く見えました。

「やあ、湖に入りこんだんだ」雨のしずくがいいました。彼はもの知りでした。「すてきじゃないか、しばらく休んで行けるよ」

「うれしいわ」雪のひとひらはいいました。「さんざん流れてきたあとで、くたびれているから。ここらですこしのんびり、二人で日なたぼっこでもしていた方がいいでしょう」

「それに、あつくなったら水底《みなそこ》へもぐれば、涼しくていい気持だよ。この湖はとても深いから」

「よかったわ、ここへきて。ねえ、雨のしずく！」

ところが、そういうそばから、聞きなれぬ耳ざわりな音をたてて水面に近づいてきたものがあります。

「まあ、いったい何事？」雪のひとひらは叫びました。


雨のしずくは、たちどころにこの不安を静めてくれました。

「ひとが舟を漕《こ》いでいるだけさ。ぼくたちの上を通りすぎるところだ。手伝って舟を浮かせてやらなくては」

「いたくはないかしら」雪のひとひらはたずねました。「むか

し山の上にいたとき、小さな女の子の橇《そり》にひかれたことがあるの。いたくて泣いちゃったわ」

「それとはべつだよ」雨のしずくはうけあいました。「ほとんど何も感じないですむだろうよ。それに、いいかい、いまでは二人なんだぜ。ぼくがいるのをわすれるなよ」

ひしゃげた帽子をかむった漁師が、小舟をあやつって二人の上を通りすぎました。雪のひとひらは手伝って舟を浮かせてやりながら、一抹《いちまつ》のこころよさと重みとを感じたにすぎず、あとは漣《さざなみ》となってひたひたと小舟のわきに打寄せてゆきました。

「ああ、おもしろかった！」

雪のひとひらと雨のしずくは、このあとも、さまざまな舟を浮かせてやったものでした。音もなく水面を走るあでやかなディンギーや、すらりとした長身のはしけや、けたたましく声をあげるモーターボートや、一度は大きな白い蒸汽船まで。汽船は蒸気を吐き吐き、がたがたいいながら、外輪で二人をはねあげ、でんぐり返しさせてゆきましたが、雨のしずくとともにいるために、雪のひとひらはおそれるどころか、むしろそのスリルをたのしむことさえもできたのでした。

こうして二人はかなり長いこと湖にとどまり、のんびりとただよい、疲れをやすめながら、この環境について多くのことを学びました。

時には岸近く、白や黄色の蓮《はす》の花ひらく緑の葉蔭《はかげ》まで流れて

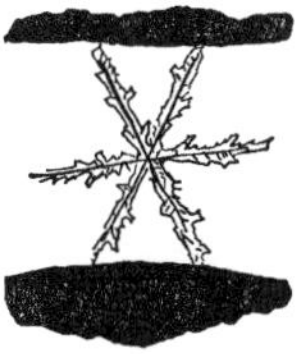

も行きました。そのあたりでは水鳥がさやさやと葦葉《あしば》をそよがせ、蛙《かえる》や亀《かめ》が朽木《くちき》の上で日をあびていました。蛙の声も春から夏の唄《うた》にうつり、亀は亀で眠たげな目をじっと見据《みす》えていました。

また、湖尻《こじり》に近い美しい別荘地や村里をすぎたこともありました。鉄道の駅と船の発着所のある小さな町まであって、あの外輪付きの白い汽船がそこから出航するのでした。

汽船には赤地に白い十字を書いた大きな旗が立っていて、それがこの船のご自慢でした。雪のひとひらと雨のしずくはこの船となかよしになり、たびたび遊んだり、浮くのを手伝ってやったりしました。船が近づいてくるときはすぐわかった、というのは、湖をわたるときにはきまって大きな音で長々と汽笛をひびかせたからです。

折から夏休みのこととて、大勢の人間が湖畔《こはん》にすごしにきていました。

泳ぎに水に入る人々もあり、雪のひとひらたちは、見ていてその臆病《おくびょう》ぶりにわらわされるのでした。なにしろ水面をひっかきながら、ぱしゃぱしゃ、ぶるぶる、ごほごほやっているばかり。それにひきくらべ銀の魚たちは、自分の行先が心に浮ぶやいなや、鰭《ひれ》と尾とをほんの一振りするだけで、早くも行きついてしまうのでした。

青い湖が黄色い砂浜にぴちゃぴちゃと打寄せる汀《なぎさ》では、子供たちがスカートやズボンを腿《もも》までたくしあげて水に浸っていました。雪のひとひらは、彼らのむっちりした足とたわむれたり、鳶色《とびいろ》の肌《はだ》に波がはねかかるたびにきゃあきゃあはしゃぐその声をきいたりするのが大好きでした。

月夜には、恋人たちがボートで湖に漕出《こぎだ》してきて、オールをのんびり波にあずけたまま、寄り添うてすわり、つめたい水に手をひたしていました。そんなときには雪のひとひらと雨のしずくは、傍《かたわ》らを通りすぎながら、その指をそっとにぎってやったものでした。

そんなとき、雪のひとひらはよくたずねたものです。「ね、まだわたしを愛していて？　はじめて会ったときとおなじくらい？」すると雨のしずくはきまって答えたものです。

「もちろんじゃないか、ばかなことをきくね」

雪のひとひらはこの答えに満足して、にっこりするのでした。

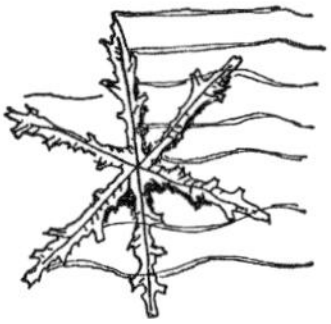

時がたちました。ある日のこと、雨のしずくがいいだしました。「気がついたかい？」

「どうも、また流れだしたような気がするけれど」雪のひとひらは答えました。

「そうなんだ。湖の果てまできたんだな」

その通りでした。湖の入口ははるか後に遠ざかり、もはや見分けもつきませんでした。まことにはるばると来てしまったもので、雪帽子をいただいた遠くの山々さえもはや目にうつりませんでした。

二人は、教会や塔や石造の建物や緑したたる公園などのたくさんある、かなり大きな都会の土手近くにいました。ゆっくりと、しかし確実に、押流されてゆくのがわかるのでした。

やがて、一ところ、岸の切れ目があって、そこにかかった橋の下をくぐると、一種の運河に入りました。両側には石造の破《は》風《ふ》造りの家々がそびえ、いまでは流れ方もよほどすみやかでした。運河はやがて二人を広い河へひきいれました。大都会もまもなく後に消えました。

たのしかった長の憩《いこ》いも終りました。またしても旅がはじまったのでした。

二人がいまいる河は、かつて山から息せききって駈《か》けおりた末にとびこんだあの川よりは、もっと幅ひろくて堂々としていました。

進み方もおそいし、うねり具合もゆったりとしてこせつかず、流れにのって動きながらあたりの風物をとっくり眺《なが》めるひまもありました。

かなりにぎやかな河でもありました。深さも幅もあるので、さきの湖にもおとらぬほどのさまざまな舟が浮んでいました。上半身裸で鳶色に日焼けした若者たちの漕ぐ小さな布製のカヌーもあれば、船尾に洗濯物《せんたくもの》をぱたぱたと陽気にはためかせた長身のはしけもあり、また前後に色とりどりの旗をたてたせわしないタグボートや汽船が、煙突から黒い煙をまっすぐに空へふきあげていることもありました。

雪のひとひらはいまでは舟にも馴《な》れ、雨のしずくとともに、近づいてくる舟さえ見れば、きまって手をかして浮ばせてやりました。いちばん気に入ったのははしけの手伝いで、なにしろたえずたのしげな手風琴《アコーディオン》やハーモニカの音をひびかせ、乗っている人々も犬や子供までもふくめて、なべて陽気に屈託のない暮しをたのしんでいるように見えるからでした。

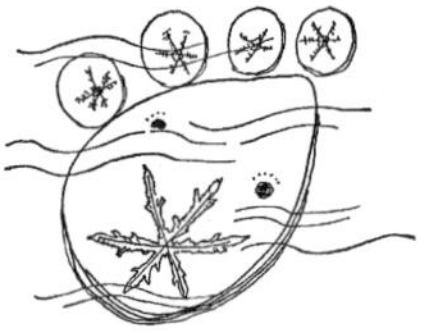

湖を後にしてまもなく、折から河は両側の段々畑にむらさきや白のみごとな葡萄《ぶどう》の房《ふさ》のみのる、緑したたる谷間を流れていましたが、ある日、雨のしずくがいいだしました。
「おい、雪のひとひら、なんだかぼくらのまわりで、がやがや可愛《かわい》い声がするようだが、だれだろう。きみも時々だれかに話しかけてるようだが？」
雪のひとひらは面映《おもは》ゆげにほほえんで、そっといいました。
「あなたがいつ気がついてくれるかと思っていたの。ね、じつはうちの子供たちなのよ」

雨のしずくは内心とてもうれしかったのですが、口ではただ、「そうか……」としかいえませんでした。それからまた、あらためて、「なるほど、そうか！　いったい何人いるんだ？」

雪のひとひらはわざわざ子供たちの数をたしかめ直し、それからほこらしげにいいました。「四人よ」

「四人！　そりゃいい数だ。で、名前は何とする？」

雪のひとひらはちょっと考えこみ、それからすらすらと順序正しくのべたてました。「雪のしずくと、雨のひとひらと、雪のさやかと、雨のしずく二世」

「なるほど、なるほど、なるほど」雨のしずくはひとつひとつうなずき、それからいいそえました。「とてもいい名前だと思うよ」

雨のしずくは、その後も子供のことには概して無関心のように見えましたが、そのじつ心の底では、きれいな子供たちだと、とても誇らしく思っていましたし、彼らが雪のひとひらのまわりで渦《うず》巻きたわむれたり、小さな泡《あわ》にのって河面《かわも》をとびまわったりするのを、横目でじっと見守っていることもありました。時には子供たちに話しかけて、質問に答えてやったりもしました。

　雪のひとひらは雪のひとひらで、この頃《ころ》から明け暮れぐっと忙しくなってきたようで、子供たちをつねに身《み》綺麗《ぎれい》にさせ、汽船の煙突からとんできた油煙や煤《すす》や埃《ほこり》が顔についたのを払いおとしてやったり、ふらふらとそばを離れて行って迷子になってしまわないように見張ったり、舟の下をくぐるときは手をつないでやったり、また、大河をただよい下るについて自分の学び知ったあらゆる知識を彼らに教えこんだりしていました。

それでもまだまだ、このような暮しをたのしむゆとりは十分にあって、土手ぞいの道路に延々とつづく自動車の列や、両岸の鉄道を走る汽車や、テラスのはなやかなパラソルの下にテーブルをならべたにぎやかなカフェやレストランなど、次々にあらわれるさまざまな美しいもの珍しいものに目をとめたりもしたものでした。丘の頂きには古城の廃墟《はいきょ》も数々あって、夕暮の空に黒々と浮びあがるそのむきだしの城壁はいかにも神秘めいて見えました。

こうしてその日も、ふだんと変りなくたのしく満ちたりて過ぎるかと思われ、行く手にはさらにおもしろいことでも待ちかまえていそうなけはいだった、というのは、これまで見てきたものよりもずっと大きな都会の塔や楼閣《ろうかく》が遠目にのぞまれ、大聖堂の双《ふた》つの尖塔《せんとう》が河霧からしだいに浮び上ってきたところだったのです。

たまたま一家は河の右岸近くを流れていましたが、そこへ思いがけなく、せまい水門がいきなり目のまえにぽっかりとひらけました。なかは石畳の廊下状で、かなりさきの方まで急傾斜の下り坂だったので、一家はあれよあれよというまにその中へ吸いこまれてゆきました。

遠霞《とおがすみ》む山々のあいだを流れる、滑らかなゆったりした河とはおさらばでした。ただよいながら夢み、物思うこともできた、のどかで優雅な道行きは終りました。

一家はつるつるした大理石張りの、狭い人工水路にひきこまれたのです。そして、刻一刻スピードをましてゆき、ほとばしりつつあったのです。

雨のしずくの顔つきがひきしまりました。「どうも気にくわん」彼はつぶやきました。

「いかん」雨のしずくはくりかえしました。「まさかこんなことがあるとは思わなかった。こうなるとわかっていたら、はじめからみんなして河の中央にいるように気をつけたんだが」
今度は雪のひとひらがぎくっとする番だった、というのは、夫がこんなに真剣な深刻な様子を見せたのははじめてだったからです。
「何なの、何かあぶないことでもあって？」彼女は思わず声をあげ、大いそぎで雪のしずくと雨のひとひらと雪のさやかと雨のしずく二世とをよびあつめると、子供らの手をとってぎゅっとひきよせてやりました。

雨のしずくはさらに顔をこわばらせていました。水路の両岸はいまやますます険《けわ》しく切立ち、頭上に仰がれるのはほとんど空ばかりでした。一家の押流され方も刻々速まるばかりでした。

「わからないんだ」雨のしずくはこたえました。「ともかく子供たちをあつめて、おれにくっついていろよ。いずれにしろ、こうなったら別れ別れにならないようにしなければ」

つぎの瞬間、水路には屋根がかぶさってきて、空は消え、一家はごぼごぼ、ごうごうと音立てながら、暗いトンネルの口にとびこんでゆきました。

あやめもわかぬ暗闇《くらやみ》をただひたすら、このさきどこへ行きつくか皆目見当もつかずに飛んでゆくのは、まことにおそろしいものでした。

トンネルの入口は背後にぐんぐん遠ざかりつつありました。絶望しながらふりかえって目をこらすと、はじめは〇ぐらいに見えたその入口が、しだいに小さく○ぐらいになり、さらに○ぐらいになり、しまいには、おお、ほんの。ぐらいになってしまいました。

そして、そこから先はわずか一条の光線や微光すら、彼らの突進してゆく暗がりにさしこんできてはくれませんでした。

雪のひとひら自身、これほどおそろしい思いをしたのは生まれてはじめてでしたが、子供たちの手前つとめて平静を装《よそお》いながら、雨のしずくにおだやかに問いかけました。「いま、どこらへんにいるとお思いになって?」

「町の下だね、遠くから見えてたでかいやつだ」雨のしずくが答えました。「まだだとしても、まもなくそこへ行きつくはずだ。うまく行けば風呂《ふろ》か、皿洗いに使われるぐらいですむかもしれないが。しかし、どんな目にあうか知れたもんじゃないからなあ」それからぐっと声を落して、ささやくように、「ただあの最大の敵にさえ会わずにすめばいいんだが……」

　雪のひとひらはそうっといいました。

「最大の敵ってだれのこと？　ね、雨のしずく、わたしにだけこっそり教えて。おびえていることを子供たちに悟られたくありませんもの」

「しいっ、勇気を出して。まさかそんな目には会わずにすむさ。おれがついているのをわすれるな」

　けれども彼らのひた走ってゆくトンネルは、いよいよ冷えびえとして細くなってゆく一方でした。左右に枝分れしたところがいくつもありました。幸か不幸か、一家は運命にみちびかれるままに右往左往しながら、結局は前へ前へと進んでいるのでした。

スピードがましました。彼らの進む路《みち》はますます細まるばかりで、市の地下の水道の本管に入るにつれ、石から煉瓦《れんが》へ、煉瓦から鉄管へと変ってゆきました。

いそげ、いそげ、いそげ！　なにか強大な力が彼らをとらえて離さないのでした。つづいて、前触れもなしに、一家は上へひきあげられました。音がきこえてきました。鐘の音、叫び声、ガラスの割れる音、はげしく叩《たた》く音やうなる音……

雨のしずくがどなりました。「しっかりしろ、雪のひとひら！　やっぱり最悪の相手だった」

「だれ？」雪のひとひらは息もとまらんばかりでした。

雨のしずくは、その恐るべき名をはじめて口にしました。

「火だ！」

いまとなっては、おののいているひまさえありませんでした。

頭上では、強力なポンプが目くるめく速さで彼らを深みから汲上《くみあ》げつつありました。心細くてどうしていいかわかりませんでした。子供たちはすでに彼女から引離され、それでもまだ必死で雨のしずくにしがみつこうとしていました。

鉄管が細くなり、圧力がますにつれ、このまま砕けて死ぬのかと思いました。つづいて起ったことは、しかしもっとわるいことでした。さながら巨人の手にでも摑《つか》まれたように、彼女は長いくにゃくにゃしたホースにむりやりひっぱりこまれ、あまりのスピードにほとんど気を失ってしまったのです。こんな苦しいおそろしい目に会ったことはいまだかつてありませんでした。雪のひとひらは最後の絶望的なまなざしを雨のしずくにちらと投げました。もうてっきりおしまいだ、と思いこんだのでした。

それから大きく一跳《ひとと》び、断末魔のうめきとともに、雪のひとひらは虚空《こくう》へとびだしながら、おどろおどろしい光景につかのま目をうばわれました。

にぎやかな市街地の一軒の家が目のまえにありました。黒煙と黄色い焔《ほのお》が屋根から窓からさかんに吹きだし、紅蓮《ぐれん》の焔の舌がちろちろ這《は》い上っていました。

雨のしずくの呼びかけがきこえてきました。「全力をつくせよ、いいか、いのちがけで行くんだ！　負けたらおしまいだぞ！」
つづいて、消防夫のにぎるホースの真鍮《しんちゅう》の蛇口《じゃぐち》からさかんにほとばしり出る水流とともに、彼女は燃えあがる火のるつぼの只中《ただなか》にまっしぐらにとびこんで行ったのです。

彼女はあっというまに焔とおそるべき熱気につつまれました。ぱちぱち、ごうごう、しゅるしゅる、しゅうしゅう、ぴしぴし、どんどん、割れたり砕けたり爆《は》ぜたり裂けたりするおそろしい物音が、まわり中からわっと襲いかかってきました。

息づまる黒煙があたりに立ちこめていました。火の心臓は毒々しく赤くもえたっています。黄色い焔のぎらぎらした刃《やいば》が剣《つるぎ》のようにひらめいては、行く手に立ちはだかるものすべてを切りふせてゆくのでした。水はたちまち蒸発し、火の悪意にかえって油をそそぎかけました。

息もたえだえで、燃えさかる火のるつぼからくる熱風にじりじりとあおられ、雪のひとひらも、もうだめだ、お手上げだとあやうく観念しかけました。これほどにも悪辣《あくらつ》な、しかも強大な敵を防ぎきれるわけがありません。あと一秒で自分も干上り、沸騰《ふっとう》し蒸発して果ててしまうにちがいない。そう思いながらも、彼女はまだまだ降参してはいなかったのです。

雨のしずくのことばが胸によみがえりました。「全力をつくせよ、いいか、いのちがけで行くんだ！　負けたらおしまいだぞ！」

すると、とたんに、われとわがいのちをこの世にあらしめたそのひとのことが思い出されました。その何者かにむかって、雪のひとひらは声をかぎりに呼びかけたのでした。「たすけて下さい。ほら、むかし、子供の頃《ころ》あなたにいつくしんでいただいた者です……ぜひとおっしゃるならば、お召しに従いますけれど、雨のしずくと子供たちだけは救ってやって下さいますように」

それだけいうと、彼女はすべてを天に委《ゆだ》ね、全身全霊をあげて敵にとびかかって行きました。

　この瞬間に、雪のひとひらおよびそのまわりに結集した水たちは、敵の燃えさかる心臓をつらぬき、真紅の破壊者との戦いに打勝ったのでした。
　じゅうじゅう、しゅうしゅう、ぶくぶくいう音がひびきわたりました。傷ついた火は断末魔の叫びと、濛々《もうもう》たる湯気と煙とをあげながら、のこんの力をふりしぼり、いま一度勢いを盛り返そうとしました。あわよくば敗北を勝利にみちびかんものと、さいごのオレンジ色の焔の矢が放たれましたが、雪のひとひらの果敢なとどめの一撃につづくおびただしい水たちの圧力の下に、あえなく溺《おぼ》れました。火はがっくりと崩《くず》折《お》れました。

ついいましがたまでいちめん火の海だった窓に、一人の消防夫が、怪我《けが》もなくすやすやと眠りつづけている幼なごを抱きかかえてあらわれました。

その子が同僚の手にわたされ、受取った同僚が用心しいしい梯子《はしご》を下りて、眠りつづける幼なごを下で待ちかまえていた母親の手に無事にわたすと、下の野次馬《やじうま》たちからどっと喝采《かっさい》の声があがりました。

これが雪のひとひらの見たものの最後だった、というのは、それきり意識を失い、目もかすんでしまったからで、みずからの偉大な勝利のことはもはや記憶にありませんでした。

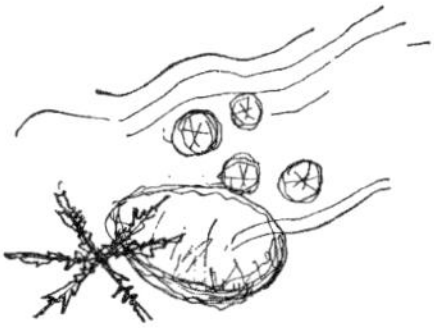

かなりたって正気にもどったときには、雪のひとひらは全身灰まみれ煤《すす》まみれで、黒焦《こ》げのビルの壁をつたい落ちてゆくところでした。

からだはひどく弱り、動くのもやっとの思いでしたし、燃えさしの木からはかっかと熱気がたちのぼってきて、これはてっきりこの壁の上で生命《いのち》果てるものと、いったんは観念しかけました。

その折も折、あろうことか、すぐそばの焦げた梁《はり》の上を、雨のしずくと子供たちとが流れおりてゆくのが目に入ったのです。

うれしさのあまり彼女はわれとわが身をわすれました。これでふたたび元気が出てきたようでした。

呼びかけると、彼らも雪のひとひらに気がつきました。廃墟《はいきょ》の壁をつたう道は自然に合流し、一家はまもなくひとつに落合うことができました。何はともあれ、よろこびにのぼせあがりながらも、雪のひとひらのまず気がついたのは、雨のしずくの変りようでした。かつてのたくましくほがらかな様子はどこへやら、いましがたの猛火の試練によって、夫は見るからに痩《や》せ衰えてしまっていたのです。

雪のひとひらはいそいで子供たちの数をかぞえ、怪我はないかとあらためましたが、ご多分に洩《も》れず汚れ煤けているほかは、どの子も無傷でした。一家はふたたび寄りかたまって、その家の壁をつたい下り、溝川《どぶがわ》の流れへすべりこみました。

彼らは焼けぼっくいや黒焦げの衣類や紙切れなどをとびこえながら、汚ない溝を下り、街路の尽きるところにぽっかりひらけた排水口にようやく辿《たど》りつきました。

つづいて一しきり、暗闇《くらやみ》のなかをなだれおち、悪臭を放ちながら煉瓦造りの地下トンネルをのろのろとすすむ穢《きた》ならしい川へ、ばしゃばしゃととびこみました。ときたま上からさしこむ光があたりをにぶく照らし、黒い水面には芥屑《ごみくず》がぷかぷかと漂っていました。下水道の煉瓦の壁ぞいには、大きなねずみもかけまわっていました。

それでも、さいごにはふたたび外気と日光とのもとへぽっかり浮びあがり、きりきりくるくる渦巻《うずま》きながら、下《げ》水溝《すいこう》の口からどっと外へあふれ出ました。こうして一家は無事に手をたずさえて、なつかしいもとの大河へ入ったのでした。

とはいえ、河はすでにしてもとのすがたではありませんでした。丘や、たわわな葡萄《ぶどう》畑や古城は影をひそめ、かわって黒や白の牝牛《めうし》が木蔭《こかげ》で草をはむ、平坦《へいたん》な牧草地になりました。変ったことといえばしかし、それだけではないことを、雪のひとひらは悟っていました。一家は火の試練をくぐりぬけてきたのでした。いまではみな年も食い、分別もまして、その暮しからも、彼ら自身からも、かつてのいい気な浮かれぶりのようなものが失われたのでした。

けれども、何よりも目立った変化は、雨のしずくの身に起ったことで、雪のひとひらは見るたびに悲しく、不吉な予感で胸がいっぱいになるのでした。

猛火との壮絶な戦いの苦しみから、彼はいまだに立直れずにいました。梨《なし》形のからだももはや以前のようになめらかで頑丈《がんじょう》ではなく、かつての陽気で快活な気性《きしょう》も二度と取りもどせぬふうでした。いかにもくたびれ、老《ふ》けこんだようすで、ともすれば打沈み、無言のまま長時間をすごすことも多くなりました。

それでも雪のひとひらと子供たちに対しては、雨のしずくは相変らずこまやかで親切でした。妻の方をじっと見つめるときなど、彼の眼《め》はえもいわれぬやさしさにあふれ、彼女の方が胸がいっぱいになってわっと泣きだしたくなるほどでした。まことに、このひとは終始、雪のひとひらのために親身になってよくしてくれたものでした。

ある朝のこと、一家はひろい静かな河の底をゆるやかに流れているところでしたが、両岸の牧場のそこここにそびえる風車が折からの朝風にうす青い空にむかってゆっくりとめぐる頃、ふと気がつくと、雨のしずくは、すでに雪のひとひらの傍《かたわ》らにはなかったのです。

昨夜はまだ彼女とともにあってくれた彼でした。その彼が、いまはないのでした。泣くにも泣けぬ深い悲しみのうちに、雪のひとひらは、これが永遠の別れであることを悟りました。

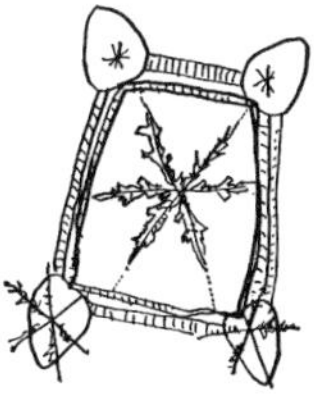

あろうことか。雪のひとひらはわれとわが身に問いかけるのでした。ひとたびは彼女の一部であり、その心臓の鼓動《こどう》もそのまま彼女のそれとつながっていた彼。その彼が、つぎの瞬間には消えうせ、彼女ひとりがのこされたのです。

いずれは取上げられるものならば、何ゆえに彼はわざわざ彼女に与えられたのか。

さよならをいうひまさえ与えず、夜のまにすみやかに彼を呼びもどしたのは、はたして何者なのか。

胸をさいなむ疑問は、雪のひとひらを、またしても子供の頃の神秘な思いへと立返らせるのでした。遠い昔にこの身をつくってくれたそのひとにむかって、彼女は問いかけました。「あなたでしょうか、夫を呼びよせられたのは？　わたしにはもう二度と、会わせていただけないのでしょうか？」

答えはなく、風車の帆《ほ》に風がさやさやと鳴る音ばかりでした。雪のひとひらは、声を忍んですすりあげました。「彼なしに、どうしてわたしが堪《た》えきれるだろうか？」

子供たちが母のまわりにあつまってきて、なぐさめようとしました。そして、彼女を抱くようにしていうのでした。「泣かないで。ぼくたち、けっしてあなたのそばを離れませんよ……」

雪のひとひらは、悲しみのうちにもほほえみながら、わが子らを見やり、思わず目をこすりました。彼らはもはや子供ではありませんでした。りっぱに成人していてくれたのでした。雪のしずくと雪のさやかとは母そっくりでしたが、一方、雨のひとひらと雨のしずく二世とは父に似て、梨形をしていかにもたくましく、活気にみちあふれていました。彼らはたえずふらふらとさまよい出ては過《あやま》ちを犯したり、渦や旋回の探検にのりだしたり、水中で出くわす流木や枝や葉などに一々つっかかって飛沫《しぶき》をあげたりしていました。

この子たちは約束通りわたしのそばにいてくれるだろう。そう思うと心がなぐさまりました。雨のしずく亡《な》きあとのいままでは、この子らだけが彼女のすべてでした。悲しみをまぎらそうとして、雪のひとひらは、わが子の将来をあれこれと思いめぐらしました。

雪のしずくは、いちばん器量よしですし、庭園のバラの花にそそがれて、びろうどの花びらの上でダイアモンドのようにきらめくのに打ってつけです。雪のさやかは、深みにひらめく銀色の鮭《さけ》や鱒《ます》に心惹《ひ》かれていますから、彼らのそばで一生を送ることになるでしょう。

また雨のひとひらは、冒険好きなだけに、いずれは大きな汽船の推進にのりだすかもしれません。雨のしずく二世は雨のしずく二世で、夢想好きのこと、どこか、黄色いあひるの子がけだるい長い夏の日をすごすような、静かな池にでも入るのがいちばんしあわせでしょう。

子供たちとともに、大河の河口にゆっくりと近づきながら、雪のひとひらはそんなことを思いふけっていました。

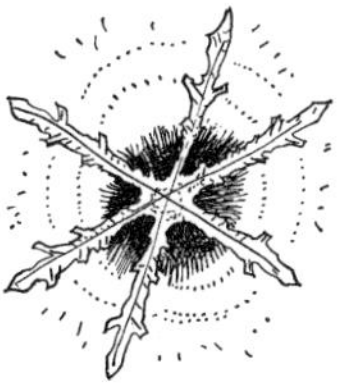

時は行き、河は流れつづけました。やわらかい草地や泥地《でいち》をゆく道が終りに近づくにつれて、幅広の流れはしだいにのろく、泥まじりになってきました。浅い河底から舞いあがる粘土で、きらきらと透きとおる水の青さも、どんよりした土色に変りました。あたかも長旅のためにくたびれ穢《けが》れた旅人のようで、雪

のひとひら自身も子供たちもまた、おなじその色にそまっていました。

とはいうものの、未知の土地への到着を目前にひかえ、そこには、あらゆる旅路の果てにつきものの興奮や浮立ちも当然伴っていました。いよいよ到着のあかつきには、万事が打って変ったものになるにちがいないのでした。

子供たちの様子には、そのような期待が見てとれました。彼らは真剣で、こせこせとして落着きを失い、河が先へ進むかわりにちりぢりに渦に巻きこまれたり、目的地へいそぐかわりにのんびり堂々めぐりしていたりすると、あからさまに苛立《いらだ》つのでした。

雪のひとひらは、心の奥底で、遠からず彼らとの別れの日がくるであろうことを悟っていました。その日がくれば、彼らはかつての誓いを反古《ほご》にして去って行かねばならず、この身はひとり、彼らの未来に託したあらゆる美しい夢とともにとりのこされるでしょう。悟りつつもなお、彼女はそのようなことが起らずにすめば、とねがわずにはいられませんでした。

いよいよ海に入るというところで、大河は五本にわかれ、沈んだ土地に点在する島々のあわいにひろがっていました。主流は、さながら沈む日を射《い》る矢のように、まっすぐ西へむかっていました。

一家がようやく河口にたどりついたのは、はてしないわだつみの水平線の上に、あかあかと入日のかかるころでした。

子供たちは、ほんの一瞬、雪のひとひらに別れを告げるために立ちどまっただけで、てんでに異った道をえらびました。

雪のしずくは南へ向い、雨のひとひらは南西にうねる流れに入りました。雪のさやかは北をめざす道をえらび、雨のしずく二世は北から西へ折れる道をとって、まっしぐらにとびこんでゆきました。

どの子もそれぞれ自分なりに、最も早く成功ないしは冒険にいたると思う道をえらんだのでした。別れぎわの彼らは、雪のひとひらの頰《ほお》にさっとさよならのキスをするのがせいいっぱいで、行く道に待ちかまえていることを思って興奮に打ち慄《ふる》えていました。そしていよいよ別れ道にさしかかると、一瞬足をとめてふりかえり、ちらりと手をふってみせたきり、行ってしまいました。

雪のひとひらは、ただひとり、血のように真紅にそまる西の方の大わだつみをさして進みました。

海というところは、いままでに知ったどの場所とも勝手がちがっていました。水は深く、底知れず、小止《おや》みなくゆれ動いていました。

生涯《しょうがい》を通じて、雪のひとひらはさまざまな動きをしつづけてきたつもりでした。山のせせらぎの陽気なかけ足や、岩角に泡《あわ》立ちほとばしる渓流《けいりゅう》や、宙をゆく滝の解放感や、ひろやかな大河のたゆみない流れなど。また、湖上をわたる夏の微風《そよかぜ》に、さざなみのダンスを踊ったこともありました。

ところが大わだつみとなると、寄せては返すうねりと高まりの、拷問《ごうもん》にも似た際限のないくりかえしでした。片時の休みもゆるされぬもののように、上っては下り、逆巻いてはひろがり、脈打ってはぐらつきしていました。海面はたえず落着きなく移ろうているらしく、そのあてどもない行進に雪のひとひらも組入れられたのでした。

また、せせらぎにしろ小川にしろ、早瀬《はやせ》や奔流や大河や湖にしても、これまで彼女の仲間入りしたところの水は、甘くてさわやかであったのに、茫漠《ぼうばく》たる大洋のそれは塩の味がして、このとき以来、雪のひとひらの口には、さながら苦い涙の味わいのたえるひまもありませんでした。

海では、波といい、潮といい、魚といい、船といい、万事がいままでに彼女の見てきたものとひきくらべ、途方もなく大規模でした。

汽船を一隻《せき》浮ばせるにしても、それがまた巨大なもので、これまでに見た大小さまざまの舟をのこらずその一隻につめこんだところで、まだまだその二倍ほども空きができてしまうほどでした。

湖の小さな蒸汽船ならば、甲板もせいぜい二階なのが、海洋の汽船では十階ないし十二階も重なり合っていました。陽気な旗をたてた外輪付きのお仲間には、煙突も一本細いのがあるきりでしたが、海原を往《ゆ》き来する彼らのそれは三本、四本にも及び、その一つ一つがゆうに家一軒を庭ぐるみすっぽり蔽《おお》ってしまうほどの大きさでした。

もひとつ、湖のやさしい船たちは、雪のひとひらと雨のしずくとの上を傷ひとつ負わせずかるく通りすぎてくれましたが、こんどは何千何万噸《トン》という巨大な貨物船や客船が、その巨体で彼女をおしひしぐのでした。そのうえ、重荷を分け持ってくれた夫ももはや傍《かたわ》らになく、いまやこれらの海洋の巨人たちの重みはことごとく彼女ひとりにのしかかってきました。わたしはとても疲れてしまった。雪のひとひらはしみじみそう思いました。

風や潮や、吼《ほ》えたける嵐《あらし》に追われながら、こうしてあてどもなくただよっていると、この茫漠とした大わだつみでは、自分の安らぎの場などどこにも見出《みいだ》せないのではないかと思われるのでした。

天気の荒模様のときには、雪のひとひらは、なるべく暗い緑の深みにもぐりこむことにしました。そこならいつも静かでしんとしていましたが、今度はしかし、鰭《ひれ》のある怪物どもが大皿のような大目玉をぎょろつかせながら泳ぎ上ってきて、彼女をおびえさせました。

なかには、ぎざぎざの歯が三重にもならんだ者もあれば、槍《やり》のようにとがった巨大な牙《きば》のある者もあり、一度、ことさら深い暗闇《くらやみ》まで下りて行ってみたときには、電気仕掛のように光をはなつ魚たちにも出会いました。ある者はさながら夜行列車のようでしたし、またある者は頭から二本の長い角をとびださせ、その先につけた二つの角灯《ランタン》を魁偉《かいい》な鼻づらのまえにかかげていました。さらに深いところでは、目なしの白いみみずやその他の盲目の怪物どもが闇のなかを手さぐりでうごめいていました。

なつかしい川や湖の陽気なすばしこい鮎《あゆ》や銀色の鮭などとは似ても似つかぬ、これらの異形の者たちに悩まされて、雪のひとひらは早々に海面へ舞いもどってみると、今度は荒れ狂う嵐に真向から立向う破目になるのでした。

嵐もまたぞっとする怖《おそろ》しさでした。

いかり狂う風は海面をかきたて、灰色の水の生ける山をきずき、塩の泡でまっしろに蔽われたその波頭は、風より早く疾駆《しっく》してゆきました。

雪のひとひらは、ついいましがた目もくらむほどの水峯《すいほう》の絶頂までもちあげられたかと思うと、つぎの瞬間にはのたうつ海の谷のどんぞこまで突き落されて、飛び交う波の山々を下から仰ぎ見て胆《きも》をつぶすのでした。怒り膨《ふく》れあがった山々は頭上におどろおどろしくのしかかり、そそりたつ水の壁は内側にカーヴして、いまにも彼女の上に崩れおち、その重みで彼女を砕きつぶそうとするかのようでした。

時には、絶頂の懸崖《けんがい》にいたところを風に引攫《ひきさら》われ、怒れる海のはてしない波濤《はとう》のつらなりを下に見ながら、飛沫《しぶき》となって宙を飛んだあげくに、息の根もとまるかと思うほどはげしく叩《たた》きつけられてようやく水面に戻ったこともあります。

こうしたはげしい嵐は、時として数日にわたり、息もたえだえの彼女を何百マイルも遠くまで追い立てて行って、ようやく吹きやみ、引揚げて行きました。

とはいえ、海だっておとなしく凪《な》いでいてくれることがなかったわけではありません。日によっては、海面がさながらあのなつかしい湖のように静まりかえり、青い水の上に陽《ひ》がまぶしく輝いて、あるかなきかの風にちらちらとかすかな漣《さざなみ》が立つばかりでした。

けれども、そうしたときの海のさびしさ、空《むな》しさはいかばかりであったことか。目路《めじ》のかぎり物影ひとつない、このうつろな広がりにくらべれば、あの嵐の脅威や興奮の方が、雪のひとひらにはまだしも好ましく思われるのでした。

時には、船のマストや煙突のさきがはるかな水平線の彼方《かなた》にちらりと見えるとか、無人の水の砂漠《さばく》を単身かきわけて進む汽船に運よくめぐりあうとかしてもよさそうなものでしたし、また、そうなればそうなったで、彼女は道づれほしさにとんで行って、巨船の重みにわが身の傷つくのもいとわず、その航路に身を投げだすのでしたが、しかし、大方の場合、雪のひとひらはどうやら水の大円盤の只中《ただなか》にいるらしく、どちらを向いてもそのまま空につづく水平線にぐるりと取囲まれていました。

そして、重ねてのことながら、雨のしずくも子供たちもいなくなったいま、雪のひとひらにはもはや話し相手も見当らず、ましてや面倒を見てやる相手も居合せませんでした。孤独とはどういうことかを、彼女はつくづく学びました。

いまでは、くる日もくる日も似たりよったりの明け暮れでし

た。――波と、スクリューで水をかきたて乳色の航跡をのこしてすぎる巨船と、いるかにしいら、鱶《ふか》、鯨、その他深みにひそむ異形の者たちと。そして、はてしない海と。
それでも、まるきり変りがないわけではなかった、というのは、雪のひとひらは、自分では行先もわからぬまま、南へ南へと着々と押し流されてきていたのです。水は、彼女をも含めてしだいにあたたかくなり、日ざしは暑くなり、海はより穏やかになって、嵐も少なくなってきました。
こうなると、まえより多くの日々を、ぎらぎらと照りつける太陽の下ですごすこともできました。雪のひとひらには、自分の中である変化が起りつつあるのが少しずつわかってきました。このところ、どうもからだが弱ってきたような気がするのでした。生きることへの興味や、生活への愛や、大小を問わずあらゆる物事に見出してきたようなよろこびが感じられなくなってきました。ひまのあるのは疲れることでした。何もせずにうつらうつら、のんびりとしているだけでも疲れました。
　この生の日々もそろそろ終りかけているにちがいない、と彼女は思いました。

　その終りとは、はたしてどのようなことになるのか、どんな感じがして、またその先はどこへ赴《おもむ》くのか、いまの彼女には知るよしもないことでした。とはいえ、どうやら太陽がこれに一役果しているらしいことは、雪のひとひらにもうすうすわかり

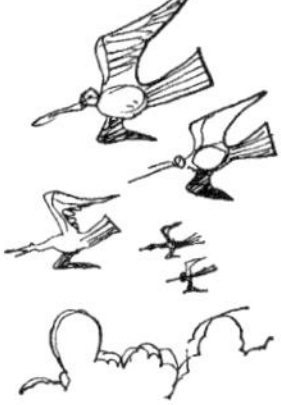

ました。彼女としてはどうも腑《ふ》に落ちぬことで、悲しい思いにさそわれました。はじめての日の出を仰ぎ見たときのあのしあわせな思いや、あの暗黒の日々、山腹の雪の下積みにうずもれながらどんなに日の目を恋い焦《こが》れたかを、いまだにわすれてはいなかったからです。

　まばゆい黄色の円盤は、しかし、すでにして灼熱《しゃくねつ》の溶鉱炉さながら、熱帯の酷暑の大空にぎらぎらと燃えたっていました。それを見ると、かつての仇敵《きゅうてき》、火のことが思い出されました。あの敵には勝てました。かつては雪のひとひらの友であった、この度の燃えさかる天体には、こちらの手に負えぬ強大な力の具《そな》わっていることが悟られるのでした。

　はじめのうちは彼女も抗《あらが》ってみました。最愛の者たちこそ失われはしたものの、生きるよろこびはまだまだ沢山あったからです。この空《むな》しさの大きなひろがりの中にひとりぼっちでおかれていてさえ、彼女はいまだに夕映えの空の色をながめたり、わだつみの果てからさしのぼる黄色い月影を見守ったりしてはたのしんでいましたし、波の荒野を道づれもなしにわたってゆく鳥に声をかけてやったり、夜空にまたたく星の数をかぞえたりもするのでした。

　とはいうものの、自分の体力と意志とがめっきり衰えてゆくのが日ましに悟られました。この分では世を去る日も間近にちがいありませんでした。

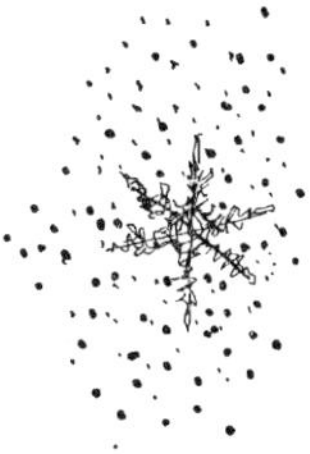

その日はやがて来ました。傲然《ごうぜん》たる空から照りつける太陽は、ことさら彼女ひとりに全精力を集中して打ちかかってくるかに見えました。雪のひとひらは、もはや抗うべくもないことを悟りました。召される時がきたのでした。

すると、恐ろしさがこみあげてきました。

海から上へひきあげられてゆくのがわかったからでした。われながら好ましく思っていた、流動体としてのいのちが失われ、まもなくこの身が無に帰するのがわかったからでした。

臨終のこのときにあたり、雪のひとひらの胸にはおさない昔の日々のことがよみがえり、いままでついぞ答えられなかった数々の疑問が舞いもどってきました。何ゆえに？　すべては何を目あてになされたことなのか？　そして何より、はたしてこれは何者のしわざなのか？

いかなる理由あって、この身は生まれ、地上に送られ、よろこびかつ悲しみ、ある時は幸いを、ある時は憂《うれ》いを味わったりしたのか。最後にはこうして涯《はて》しないわだつみの水面《みなも》から太陽のもとへと引きあげられて、無に帰すべきものを？

まことに、神秘のほどはいままでにもまして測り知られず、空しさも大きく思われるのでした。そうです、こうして死すべくして生まれ、無に還《かえ》るべくして長らえるにすぎないとすれば、感覚とは、正義とは、また美とは、はたして何ほどの意味をもつのか？

そのひとは何者か。この身に起ったことどもを、あらかじめそのように起るべく計らったそのひとは？　何ゆえにそのように仕組んだのか。この身を唯一《ゆいいつ》無二のかがやかしい結晶体に仕上げ、空からふうわりと送り出したのは、ただにそのひとの気紛《きまぐ》れにすぎなかったのか。それとも、こうしたことすべての裏には、彼女には測り知れない何らかの目的がひそんでいるとでもいうのか？

　そのひとは、結局のところ、雪のひとひらのことをわすれてしまったのか？　ひとたびはそのひとの愛をうけた雪のひとひらでした。記憶はたしかでした。あのように、あらゆる災いからたしかに守られているという、ほのぼのと、こころよく、やさしくもなつかしい感じがあったのでした。とはいえ、そのひとは、たちまち彼女に飽いて突放し、おのれの創造になるこの神秘な世界をあてどもなくさまよわせ、さまざまな憂目《うきめ》に会わせたのではなかったか。

海はいまや眼下に遠ざかりました。白熱の太陽は彼女をしっかととらえていました。いままでは雪のひとひらのすがたかたちも、長年馴染《なじ》んできた愛らしい透明なしずくではなくなり、しなび、干上りつつありました。まもなく中空に一抹《いちまつ》の蒸気がふわりとただようのみで、すべてが消滅することでしょう。

頭上はるかな高みには、ふわふわした白雲がひとつ浮んでいました。あれがわたしの行きつくところなのか？　雪のひとひらは、自分のいのちのふるさとが雲の中であったことを思い出しました。

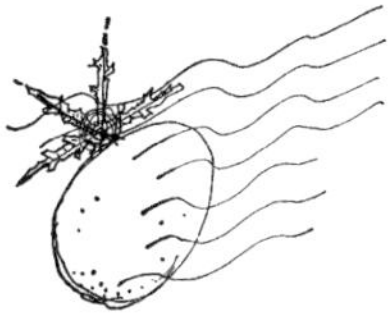

とはいえ、臨終のこのときにあたり、雪のひとひらの思い起したことは、それだけにはとどまりませんでした。
かすみかけた彼女の目のまえに、いましもその全生涯《しようがい》のできごとがくりひろげられたのです。
まず、雪のひとひらは山の辺《べ》にふりつもり、赤い帽子と手袋をした小さな女の子が彼女を橇《そり》でひいて通りすぎたのでした。
それから、村の校長先生そっくりの雪だるまの鼻にされ、通りがかりの人々がその雪だるまを見ては、わらって、憂《う》さ晴しをしてくれました。

それから、春がきて、丘をころがりおりて、森蔭《もりかげ》のすみれの眠りを目ざめさせました。

それから、水車めぐりにまきこまれ、粉挽《こなひき》の臼《うす》をまわして小麦を粉にし、一人の女に子供や夫のためのパンを焼けるようにもしてやりました。

それから、なつかしいやさしい一しずくの雨と交わり、彼を愛し、彼とともに湖に入り、生涯の至福の日々をそこですごしました。


湖のことを思うと、雪のひとひらの目には、自分のたすけて

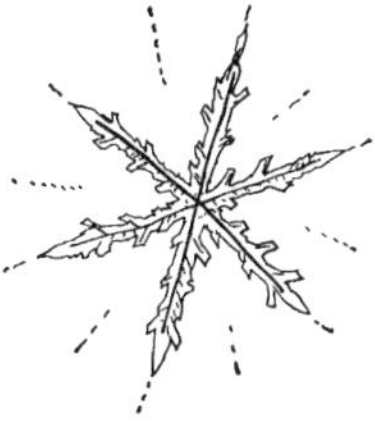

やった大勢の泳ぎ手と、暑い夏の日々、すずしくさせてやった子供たちの鳶色《とびいろ》のむきだしの脛《すね》がよみがえりました。

　赤地に白十字の旗をいさましく船尾にひるがえしてすすむ、なかよしだった白い外輪船の陽気な汽笛の音がふたたび耳にきこえ、洗濯物《せんたくもの》をぱたぱたとはためかせ、にぎやかな鳴物をひびかせた細長いはしけが目にうかびました。あの音楽のゆえもあって、彼女ははしけたちのスピードを上げさせてやる手伝いをしたものでした。

　それから、自分の子供たちのことを思い、雨のしずくと共にした長の旅路のたのしかったことを思いました。

　おそろしい火とわたりあって一騎打でやっつけたことを思い出すと、いまでも身の毛がよだちました。消えてゆく焔《ほのお》の断末魔の悲鳴がふたたびきこえ、眠る幼なごを腕に抱いて窓にあらわれた消防夫のすがたがいま一度まのあたりにうかびました。あの子がつつがなく無事であったのも、もとはといえば彼女の勝利のおかげでした。

雪のひとひらは、それから、身内の者たちがそれぞれ自分の道へ赴き、水の流れのままにまに運び去られるにまかせました。そして、みずからはさびしい海へ入り、そこでお召しをうけ、求められるままにいずくへか身を捧《ささ》げようとしているのでした。

頭上にただよう白雲にいよいよ近づいたときです。雪のひとひらの脳裡《のうり》には、あるひらめきとともに、なべてのものの造り

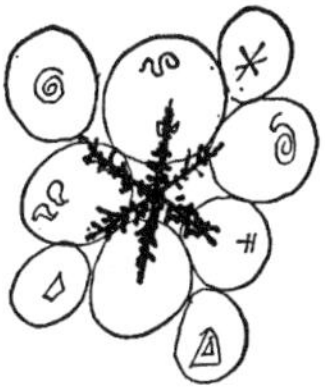

主であるそのひとの織りなした美しくも宏大《こうだい》な意匠が、およばずながら納得されたのでした。

　彼女の生涯はつつましいものでした。この身はささやかな雪のひとひらにすぎず、片時もそれ以上のものであったり、それ以上を望んだりしたことはありませんでした。

　けれども、こうしてふりかえってみると、彼女は終始役に立つものであり、その目的を果すために必要とされるところに、つねに居合せていたわけでした。赤い帽子と赤い手袋の小さな女の子が学校へ遅れずに行けるようにしてやっただけでも、むなしく生まれてきたのではなかったのでした。

　雪だるまの鼻の一部になったことですら、人々をわらわせ、日頃《ひごろ》の煩《わずら》いをわすれさせるために役立っていたわけでした。

　雪のひとひらは、自分の全生涯が奉仕を目ざしてなされていたことを悟りました。彼女は野の花をうるおし、蛙《かえる》を憩《いこ》わせ、魚を泳がせ、人々のパンのために水車をまわし、火事を鎮《しず》め、巨大な艦船の運航をたすけたのでした。

生まれおちてこのかた、彼女の身に起ったあらゆることどもの裏には、何とまあ思慮深くも周到な、えもいわれず美しくこまやかで親身な見取図がひそんでいたものでしょう。いまにして彼女は知りました、この身は、片時も、造り主にわすれられたり見放されたりしてはいなかったのです。

最後に、雪のひとひらは、自分が生を享《う》けたこの世界のあり

ようとその意味に、心から驚嘆したのでした。そこにはまず山があり、村があり、谿《たに》があり川があり湖があり、そして海がありました。それらはいずれもいかにも広大に見えながら、ひとたびかの巨大な太陽や、月影や満天の星に思いをいたせば、まことに取るに足らないささやかさでした。

宏大無辺の宇宙にあっては、この地球もほんの小さな遊星でしかないのとおなじく、雪のひとひらにしても、ついには海に行きつく水たちのうちの、さまよえる一しずくにすぎないのでした。

思えば大あり小あり、美あり醜《しゅう》あり、多あり少あり、驕《おご》れるあり慎《つつま》しきあり、世はさまざまでした。けれども、いまにしてわかったように、どんなにささやかな貧しい者、つつましい存在でも、ひとつとして無駄《むだ》に見過されることなく、造り主そのひとの偉大な意匠の一部として一役買っていたわけですし、造り主の目には、その意味で、いかなる輝かしい強大な者にもひけをとらぬものだったのです。雪のひとひらも、太陽も、天地創造の計画にとってはひとしい意義をもつのでした。またたき煌《きら》めく幾千の天体も、そのひとにとっては、地上にふったほんの一つぶの結晶やしずくにくらべ、より偉大でもより重要でもないのでした。だれひとり、何ひとつとして無意味なものはありませんでした。

雪のひとひらは、この宇宙のすばらしい調和を思い、この身もその中で一役果すべく世に送られたことを思いました。すると、安らかな、みちたりた思いが訪れてきました。

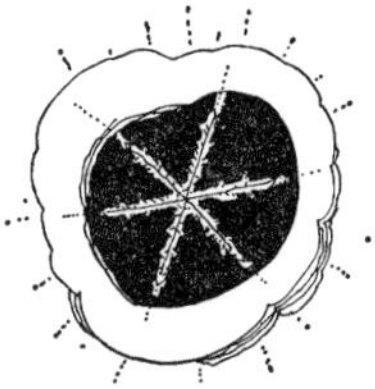

鼓動はすこしずつ、すこしずつ弱まってきました。まもなく雪のひとひらは雪のひとひらであることをやめ、宏大な無言の天空の一部、おぼろにかすむ秋の雲のひとかけにすぎなくなるはずでした。

けれどもこの終焉《いまわ》のきわに、彼女はいま一度、はるかな昔にはじめて空から舞いおりてきたときに感じとったとおなじ、あのほのぼのとした、やわらかい、すべてを包みこむようなやさしいものが身のまわりにたちこめるのを感じました。

それは彼女を甘やかな夢にいざない、おそれを鎮《しず》め、全身全霊をよろこびでみたしました。

こうしてようやくわかりました。そうです、何者が雪のひとひらをつくり、雪のひとひらを見守り、大小を問わずあらゆるものにたいするとおなじに終始雪のひとひらをもいつくしみつづけてくれたのか、その究極の神秘は、ついに彼女には解き明されぬままに終るのでした。この期《ご》に及んではわざわざ知るまでもありませんでした。なぜなら、誰のしわざにせよ何者のゆえにせよ、まもなく雪のひとひら自身がその何者かの一部に帰するさだめであったのです。

太陽が彼女を頭上の雲の中心にひきずりこむ間際《まぎわ》、雪のひとひらの耳にさいごにのこったものは、さながらあたりの天と空いちめんに玲瓏《れいろう》とひびきわたる、なつかしくもやさしいことばでした。——「ごくろうさまだった、小さな雪のひとひら。さあ、ようこそお帰り」

愛のまなざしのもとに

――あとがきに代えて――

ここにご紹介する小説『雪のひとひら』は、ひとりの女性の誕生から死にいたるまでをえがいた、いわば女の一生の物語、それもめずらしくファンタジーの形式でつづられた、女の愛と生涯《しょうがい》の物語です。

「女の一生」といい、「女の愛と生涯」といえば、さしずめモーパッサンの小説やシューマンの歌曲集あたりが思い出されるかもしれませんが、何もわざわざそのように銘打《めいう》たずとも、ひとりの女の生まれてから死ぬまでを扱った文学作品は、歴史上の実在人物の伝記などをもふくめ、古今東西おそらく星の数ほどつくられたことでしょう。

また、そのようにして物語られずとも、たとえば身近の誰彼《だれかれ》にせよ、その生涯を知るひとびとに、女というもののありかたについていろいろと考えさせずにはおかないような堂々たる生きざまを見せてくれた女性も、それこそ数かぎりなくあるはずです。いえ、その意味では、どんなささやかな名もない女の一生だって、けして他とおなじということはありませんし、それぞれの歴史をもち哀歓《あいかん》をたたえて、りっぱにひとつの物語たりえます。美しい女も見すぼらしい女も、勇ましい女もかよわい女も、あらゆる女がそれぞれの物語の主人公であり、そのおかれた状況やそれにともなう心理のさまざまな綾《あや》を読みとるだけのすぐれた作家のまなざしさえあれば、たちどころに一巻の物語が書きあげられるはずです。

この『雪のひとひら』の主人公の生涯も、要約してしまえばごく平凡な、あたりまえの女の一生にすぎません。この世に生まれてきて、結婚して子供をもうけ、やがて夫に先立たれ、子供たちも独立して行って、老いて死ぬ。それだけのことです。人類の歴史はじまってこのかた、いつでもどこでも繰返されてきたにちがいない、いわば典型的な女の生涯です。圧巻の出来事ともいうべき大敵・火との遭遇《そうぐう》も、この世の旅路につきものの苦難をひとつの象徴的なかたちで物語っているにすぎません。

その意味では、この小説にはほとんど無駄《むだ》というものがありません。外面的な事件ばかりでなく、心理描写にしてもおなじことで、およそ女が女として生きてゆく上で味わうであろうよろこびとかなしみのすべてを、いささかの誇張もなしに、きわめて純粋にしかも克明にえがききっています。

純粋といえば、この作品の主人公のすがたがすでにして純粋で、よけいなものを一切脱捨てた、まさにむきだしの個そのものです。

この個体はしかも、一滴の水です。人体の七〇パーセントを占めるという水、空気の次に生命の維持になくてはならないものとされるその水の最小単位が、ここでは主人公なのです。

これはなかなか心にくい設定です。メルヘンや神話や、いわゆるファンタジーとよばれる文学形式のなかには、たとえば犬や猫《ねこ》や甲虫《かぶとむし》やバラの花といった動植物をはじめとして、山や川や風や太陽のような自然現象から果ては人間のつくりだした諸道具にいたるまで、ありとあらゆるものたちが擬人化されて登場してきますが、それでもこの雪のひとひらのばあいのように、ここまで単純化された生命の原形質ともいうべきものを持出してきた例はちょっとほかに思いあたりません。

水の属性といえば、何よりもまず、流れるということがあります。停滞をきらいます。これは動物としての人間のありようにもそのまま通じることで、さいごには疲れはてて死にいたるとはいえ、生きてあるかぎり小止《おや》みなく活動しつづけることは、やはり人間にとって本然のすがたなのです。

もうひとつ、水の性質として無色透明ということがあります。この純潔の身にはもともと固有の色がなく、運命にみちびかれるままに手近に与えられたものの色にどのようにでも染まってゆきます。色ばかりではありません。表面張力によって完《かん》璧《ぺき》な球体をかたちづくった水滴は、さながら凸《とつ》面鏡のように周囲のありとあらゆるもののかたちを映しとることができます。

水はまた、きびしい寒さのなかでは結晶して雪や氷ともなり、ダイアモンドにもまがう硬質のきらめきをはなつこともできますし、逆に必要以上の熱気のなかでは蒸発して空に消えるしかありません。

「一粒の砂のうちにも宇宙を見る」とイギリスの詩人ブレイクはいいましたが、まさしくそのとおり、雪のひとひらというこのぎりぎりの存在形式のうちには、流動体としてのいのちそのものの特性が、死すべきものとしてのはかなさ、脆《もろ》さから、変幻自在なしたたかさ、豊かさまでもふくめて、あまさず盛りこまれているといっても過言ではありません。

流動するいのちであり、玲瓏《れいろう》たる珠玉《しゆぎよく》でもある水の一滴…… それはこの女性のからだでもあると同時に、ひとつのよるべない魂のいつわりないすがたかもしれません。

見逃してならないのは、主人公雪のひとひらが終始はっきりした個の自覚にささえられていることです。生きるも死ぬも、美を思い愛を思うことも、すべては自分一個の問題であり、彼女はそのすべてをおのれの判断によって自問自答のうちに解決するしかありません。

血のつながり、肉の絆《きずな》といったものは、雪のひとひらにははじめから与えられていません。ふるさとすらもこの地上には見出《みいだ》すべくもありません。

人並みに父母を持つ身のやうにわがふるさとをとひ給《たま》ふかな
たらちねの親うからよりよそ人をむつまじくしも覚えし少女
一人にて負へる宇宙の重さよりにじむ涙のここちこそすれ

与謝野晶子《よさのあきこ》の歌から思いつくままにひろってみたものですが、このような思いはだれの胸にもあるのではないでしょうか。

ここまで個に徹するということはまことに健気《けなげ》でもあり、同時にまたかぎりなくさびしいことでもあります。それだけに、唯一《ゆいいつ》の話し相手であり伴侶《はんりょ》である雨のしずくの存在がかけがえのないものとして雪のひとひらにせまってくるのですが、その出会いのはなやぎうきたつ心地のなかですら、聡明《そうめい》な雪のひとひらはしばらくの猶予《ゆうよ》を乞《こ》うてわれとわが心をたしかめるだけのゆとりをわすれてはいません。

二つの個は合体し、そこからあらたな個である子供たちが生まれます。その子供たちにたいしても、もともと独立した個として生まれてきたにすぎない雪のひとひらは終始さわやかな距離を保ちつづけ、おなじ道をあゆむ上での先輩として未熟なものたちの助けにこそなれ、彼らの自立をさまたげるようなことはすこしもありません。

　愛する者たちをことごとく失ったあとの雪のひとひらに、はじめてほんとうのさびしさが訪れてきます。「孤独とはどういうことかをつくづく思い知る」という、じつはこれとほとんどそっくりの表現を、作者ギャリコはほかでも使っていました。出世作『スノーグース』のなかで、世をすねたせむしの画家がひとりの少女といったん心を通わせながら、その少女の訪れが途絶えてしまい、一冬を語るべきひともなく狂ったように画筆をとりつづけるしかなかったときのことです。じっさい、何事にかぎらず「相見てののちの心」にくらべれば、知らなかった昔の方がまだしも倖《しあわ》せと思うのが人の世の常なのでしょうか。すべてが途方もなく大きすぎる茫洋《ぼうよう》とした海原《うなばら》で、老いの身をひたすら波にもてあそばれるしかない雪のひとひらのすがたには、かつて下積みの少女の日々、囚《とら》われの闇《やみ》の牢屋《ろうや》のなかで雪解けのあしたをしきりに待ちつづけたあの頃《ころ》にはついぞ見られなかった、しみじみとした悲哀のいろがにじみでています。

筆者はもともと、ここでさかしら顔の『雪のひとひら』論を展開する気もなければ、この小説のえがきだす老年の悲哀の美しさをとりたてて強調するつもりもありませんでした。

美しさといえば、全篇のここかしこにちりばめられた自然描写、情景描写のことごとくが生き生きとした美しさにみちあふれ、主人公雪のひとひらのこころを揺りうごかすとともに、読者であるわたしたちをも深い感動にさそいます。人生最初のあけぼのの壮大なパノラマ、岩走る春のせせらぎの気も狂うばかりのよろこび、湖《こ》畔《はん》にたわむれる子供たちのはしゃぎ声、その鳶色《とびいろ》の脛《すね》……

とはいえ、作者ギャリコがこの一篇でえがきだそうとしたものは、はたしてそのような美ばかりだったのでしょうか。美の問題にかこつけて、いまひとつだけいわずもがなの私見をつけ加えさせていただくとすれば、この小説の主題はやはり愛のこと、もしくは美と愛との一致するところにあり、その答えはほぼ最後の数行につくされていると思うのです。

臨終の雪のひとひらの耳に、なつかしくもやさしいそのひとのことばがきこえてきます。――「ごくろうさまだった、小さな雪のひとひら。さあ、ようこそお帰り」

これです。これこそはおそらくこの世でもっとも甘美なささやきではありますまいか。

ことばそのものは、ごくありふれた、あたりまえの挨拶《あいさつ》にすぎないかもしれません。暗い夜道を一人とぼとぼと歩いてきたわが子を迎え入れる父母のことば、戦いに疲れ傷ついて戻った夫をまちうける妻のことばとおなじ、いたわりとねぎらいのことばですが、しかしこれはもちろんことばの上だけにとどまる問題ではありません。原文を知りたいかたのために書き記せば、"Well done, Little Snowflake. Come home to me now." ですが、この Well done が心からいわれるためには、相手のなしてきたことにたいする理解、その辛《つら》さ、さびしさ、苦しさを読みとるだけのまなざしが当然なくてはなりますまい。

苦労ばかりではありません。よろこびもかなしみも、時には人知れず犯した罪でさえも、誰かに打明けてわかってもらったというそのことによってはるかに心救われたためしも数々あるでしょう。逆からいえば、この Well done の一声をどこかに期待できるかぎり、なかなか絶望などということはありえないのでしょう。

とはいうものの、それほどのたのもしい理解者が、かぎりある人の身にもとめられるかどうか。何事にせよほんとうに行き届いた理解のためには、理解する者の方が理解される者を凌駕《りょうが》するだけの大きさを具《そな》えていなくてはなりませんから。

よるべない個として生涯《しょうがい》を旅にすごした雪のひとひらを風のゆりかご以来終始見守りつづけてくれたらしいそのひとのことを、ギャリコはただ、彼として、大文字を以《もっ》て He と書き示しています。これは聖書のなかの神の扱い方にも通じるもので、西欧的な神観念の起源もおそらくはこのあたりにあるのでしょうけれど、それはそれとして、筆者には、この何者かがあくまで「彼」＝男性であることが、雪のひとひらの女性であることと考えあわせてまことに興味ふかく思われます。

「永遠に女性的なるもの、われらをみちびく」という有名なゲーテの『ファウスト』中の一句がありますが、これはどこまでも男性であるゲーテやファウストにとってのことで、雪のひとひらをも筆者をもふくめて、女性であるわたしたちをもしもみちびいてくれる者があるとすれば、おそらくそれは彼ら、男性をおいてほかにはないのです。永遠に男性的なるもの、われらをみちびく、です。

母なる大地のふところに還《かえ》る、といった考えかたも、雪のひとひらには通用しません。女性であるわたしたちのからだはもともと母そのものですし、そこに居すわって自己満足にふけるかぎり、矛盾《むじゅん》もなければ何らの発展もありえません。

　いづくへか帰る日近きここちしてこの世のもののなつかしきころ

　これもやはり与謝野晶子の歌ですが、古来数多《あまた》のすぐれた女性たちはおおむねこの地上に終《つい》の安らぎのありかを見出《みいだ》すことができず、それゆえにこそはげしい矛盾に耐え、きびしい孤独に甘んじながら生きぬいて、いずくへか、立去って行ったのでした。それらの人々のすべてがしあわせな雪のひとひらのように、終焉《いまわ》のきわにWell done をささやきかけてくれる He をもっていたかどうか。時にはそれは長年を連添うた夫の唇《くちびる》をかりて暗黙のうちにつぶやかれることばかもしれませんが、いずれにせよわたしたちが女性であるかぎり、救いはつねに彼の側からやってくるにちがいないことだけは、筆者のまずしい体験にてらしてもたしかなようです。
　この作品自体がそのことにたいするひとつの心づよいあかしでもあります。これほどにまで女の魂のもとめるものを理解し、珠玉の作品に仕立て上げてひとつの浄化をもたらしてくれた作家、ポール・ギャリコ氏は、ほかでもない、男なのですから。

この『雪のひとひら』ばかりではありません。ギャリコの作品に登場してくる女性たちは、猫《ねこ》のジェニィにせよ、メイドのハリス夫人にせよ、いずれもつつましい生涯を生きながら、その欠点や短所をもふくめて作者の十全な理解に支えられ、そのあたたかいまなざしのもとにあそばせられて、女であることのよろこびとかなしみを存分に味わわせてもらっています。それらの作品世界では、ギャリコ自身が背後にある大文字の彼として、女たちのいじらしい営みを見守りながら、ご苦労さまをささやきかけてくれているのです。このようなまなざしとことばとを持つ作家が一人でもいてくれるかぎり、いつかは両性の相互理解ということも夢ではなくなる日があるのではないか。そんなあかるい希望さえ抱きたくなってもきます。

ポール・ギャリコは一八九七年、イタリア系の音楽家の子としてニューヨークに生れました。若くしてニューヨーク・タイムズのスポーツ記者として盛名を馳《は》せたのち、作家活動に転じ、代表作『スノーグース』(矢川訳、新潮文庫)をはじめ数々の名作を世に送りました。なかには「ポセイドン・アドヴェンチャー」や「リリイ」など、映画化されたものも少くありません。

『雪のひとひら』はギャリコ五十代の円熟期の作品ですが、珠玉の掌篇とはまさしくこのようなばあいにこそふさわしいことばでしょう。わたしの翻訳も七五年の初版以来、いちども店頭から消えたことがありません。当時は健在だったギャリコもその翌年なくなりました。かれの生誕百年にあたる今年、装《よそお》いもあらたにふたたびみなさまの手にお届けできるのは、訳者としてふかい悦《よろこ》びです。

一九九七年秋

矢川澄子

この作品は昭和五十年十一月新潮社より刊行された。

Title : SNOWFLAKE
Author : Paul Gallico

雪《ゆき》のひとひら

新潮文庫 キ－2－5

Published 2008 in Japan
by Shinchosha Company

平成二十年十二月一日発行
平成二十九年十二月五日九刷

訳者 矢《や》川《がわ》澄《すみ》子《こ》

発行者 佐藤隆信

発行所 株式会社 新潮社

郵便番号 一六二―八七一一
東京都新宿区矢来町七一
電話 編集部(〇三)三二六六―五四四〇
読者係(〇三)三二六六―五一一一
http://www.shinchosha.co.jp

価格はカバーに表示してあります。

乱丁・落丁本は、ご面倒ですが小社読者係宛ご送付ください。送料小社負担にてお取替えいたします。

印刷・凸版印刷株式会社　製本・加藤製本株式会社

ISBN978-4-10-216805-9 C0197